BC221-2023

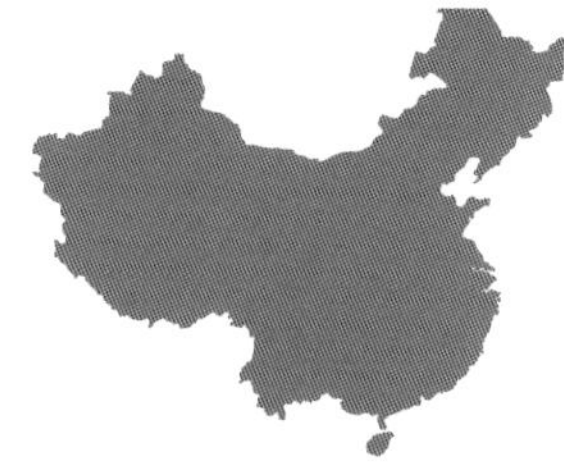

脅威と欺瞞の中国皇帝政治二千年史

日本人が知らない異世界「中国」の行動原理を見抜く

石平
Seki Hei

徳間書店

はじめに――　現実の中国は異世界と心得よ

本書は昨今の中国の動きについて〝ふわっとした危機感〟を覚え、実態を認識したいと考えている方に向けて解説するものである。

ＳＮＳで〝中国の脅威〟を伝える時事的なニュースに触れて、何となくわかった気になっても、それもまた〝ふわっとした脅威〟である。

「どこから知見を深めていけばよいかわからない」

「脅威に現実味が感じられない」

「とはいえ、このままスルーしてもいられない」

そんなスタート地点に立つあなたに向けての一冊だ。

どこからアプローチすべきか？

〝異世界〟というキーワードが日本のゲームやライトノベル、アニメといったエンタテインメントで定番人気となっているのは皆さんもご存じのことだろう。

シンプルに異世界での立身出世や日常を描いたものもあれば、現実世界の食文化や職業スキルを異世界に持ち込んで異文化とのギャップをエンタテインメントに仕立てているものもある。つまりこれは、まったく異なる価値観のなかで、現実世界を再評価する方式だ。

中国に限らず、日本人が他国を正確に認識しようとしたとき、この〝異世界〟というキーワードは実に重要だ。

外国人が日本を訪れ、その国民性や生活習慣、文化に触れて、いい意味で自国との違いに驚く。いわゆる「アメイジング！」だ。外国人にとって日本は〝異世界〟であり、ファンタジーワールドなのだ。

日本人はここをもっと自覚すべきである。

すなわち、日本人にとっても外国は〝異世界〟なのだ。

そんなことは承知しているとおっしゃる方もいるだろう。では、〝異世界〟の成り立ちを理解しているだろうか。そこに住む人々の行動原理を把握しているだろうか。

ランダムかつ豊富な情報をベースにわかった気になってしまいがちなのだ。

その典型が中国だ。わが国と中華文明とは古くから交流があり、日本はその文化、政治体制、慣習などを取捨選択しつつ取り入れ、ローカライズしてきた歴史がある。ゆえに切り離して考えることが難しいことも要因のひとつである。

結論から言えば、〝日本人が考える勝手な中国像〟があるのだ。

これは世代、趣味性、さらには学生時代の選択科目の文系理系などでも認識が異なるから始末が悪い。

そしてどの〝中国像〟も当の中国人にとっては、日本人が勝手に考えた〝異世界〟なのである。

特に国際情勢や安保問題に興味がなければ、「中国は4000年の歴史の国だ」という印象が先に来る人もいるだろうし、「継続王朝ではないのだから、秦や唐とは別。1949年建国の新しい国」とみる人もいるだろう。

中国に阿る(おもね)あまり「中国は日本の親のようなものだ」などと主張する人もいる。

文化的側面、つまり『三国志演義』や『水滸伝』、『西遊記』、『封神演義』をテーマにした歴史ファンタジーなどのエンタメ体験から中華世界への興味を喚起されることもあるだろうし、書画、漢詩などの芸術面、漢方薬や薬膳などの古(いにしえ)からの生活技術面に傾倒している方もおられるだろう。

しかし、私たち日本人が認識している中国像が、当の中国人にとっても〝異世界〟ということを知れば、〝ふわっとした危機感〟を〝現実的な危機意識〟に深める必要があることに気づいていただけるだろう。

本書では、近現代と悠久の歴史を行き来し、中国という隣国、そしてその背景にある〝中華〟という世界観と行動原理をひもといていく。そしてそれは日本という国を見つめ直す作業でもあるのだ。

目次

第2章 皇帝の設定

中華の世界観と皇帝の行動原理

第3章 皇帝の外交
隣国を悪魔の国に仕立てる

第4章　民族と国土と民
漢民族の行動原理

第5章 漢意（からごころ）と日本人
日本精神と中華思想の関係

装丁：b.o.c
本文組版：キャップス
校閲：麦秋アートセンター
編集担当：浅川亨

第1章

白紙の乱

民衆が「皇帝はいらない」と叫ぶ国

皇帝はいらない

２０２２年11月下旬、中国各地でゼロコロナ政策への抗議活動が勃発し全国に波及した。当局の取り締まりと新型コロナウイルス感染対策の緩和もあって表面上は沈静化したように見える。

しかし、その抗議の叫びは、ゼロコロナという失策の批判には留まらず、体制批判にも発展したのである。


「封鎖措置はいらない。自由が欲しい。表現の自由、報道の自由、芸術の自由、移動の自由、個人の自由。私の自由を返せ！」

「民主主義と法の支配を！　表現の自由を！」

「独裁者に反対を！」

「生涯の支配者はいらない。皇帝はいらない」

「皇帝よ退陣せよ」

この叫びこそが、中国という異世界への扉を開ける第一声である。独裁者、そして〝皇帝〟というキーワードがこの異世界を象徴しているからだ。

もちろん、日本の左翼政党が与党である自公政権に「独裁だ！」と叫ぶこともある。しかし、これは民主主義政治の原則である多数決に負けた腹いせに暴言を吐いているだけで、〝本当の独裁〟を体験したことがない者の妄言で、いわば子どもの口喧嘩における戯(ざ)れ言(ごと)同然だ。

対比するに中国国民の表現する〝独裁〟と〝皇帝〟は、いわゆる現実である。つまり、皇帝政治だ。中国国民、この場合中華人民と言ったほうが正確だが、彼らは秦の始皇帝以来、清朝が滅ぶまで２０００年以上にわたって皇帝政治という独裁体制の中で暮らしてきたのである。

そして21世紀の今となってもなお、「皇帝はいらない」と叫ばざるを得ないのはなぜなのか。

２０２２年10月の共産党大会で習近平氏は異例の続投を果たした。党内の反対勢力を最高指導部から一掃して自らの個人独裁体制を盤石にした政権３期目のスタートこそが〝皇帝・習近平の時代〟の幕開けと言っていい。

しかし、スタート直後に突きつけられたのは民衆からの習近平主席への退陣要求であった。「皇帝はいらない」という民意がそこではっきりと示されたのだ。

これでは政権の正常な安定運営は望めない。何かのきっかけで革命への導火線に火がつく可能性はいつでもあるし、民衆こそが政権3期目の敵となる可能性は高い。これからの〝皇帝・習近平の時代〟が騒乱と動乱の時代となっていくのは間違いないだろう。

白紙の乱

日本のマスメディアでは詳しく報道されなかった2022年11月下旬の全国規模のデモについておさらいしておこう。

2022年11月25日から28日にかけて、全国的な範囲で群衆による大規模なゼロコロナ抗議運動が勃発した。

始まりは11月25日、新疆(しんきょう)ウイグル自治区のウルムチ。そこを皮切りに北京、上海、成都、南京、武漢、深圳(しんせん)、広州など計18の大都市に飛び火し、市内でさまざまな形で

A4 サイズの白紙を掲げる学生たち。
写真：ZUMA Press/ アフロ

抗議活動が展開されたというものである。

デモは市内だけではなく、北京大学をはじめ、習近平主席の母校である清華大学ほか各地方の79の大学の構内、周辺にも広がり、学生たちによる抗議活動も行われた。

この抗議行動の象徴となったのはA４サイズの白紙、何も書いていない白い紙を捧げるスタイルが流行した。

このことから一部では今回の抗議活動のことを「白色革命」と呼んでいる。

私は後漢（ごかん）末期の「黄巾（こうきん）の乱（太平道の信者が教祖の張角を指導者として起こした組織的な農民反乱。目印として黄巾と呼ばれる黄色い頭巾を頭に巻いたことからこの名がついた）」に倣（なら）って、「白紙の乱」と称することにした。

この白紙のA４用紙を掲げるスタイルは11月27日、清華大学構内で、ひとりの女学生が始めたものだ。１枚の白紙を手にして行う抗議活動は風潮として広がり、「白紙」は今、反独裁・反習近平のシンボルになりつつある。

何も書かれていない文字通りの白紙だが、いろいろな意味合いがその中に含まれている。今、中国で白い紙を掲げれば「習近平退陣」「独裁廃止」「体制批判」を意味するのだ。

これが巧妙なのは、白い紙を静かに掲げる行為は、当局としても取り締まりがしにくいばかりか、それを公然と禁止するのも難しいことだ。

そのうち、白色そのものが運動のシンボルになる可能性もある。２０００年代に東欧で起きたカラー革命ではないが、人々はあらゆる場面で、白色の服装や記章の着用、白いアイテムの保持など、あらゆる形で白色を用いて自らの思いを表現する。

デモ活動は大変な労苦があるが、白色のアピールなら日常生活にとけ込ませやすく、コンセンサスもとれるし、コミュニケーションツールにもなる。なにより運動を持続していくことが容易だ。

革命的スローガン

今回の抗議活動の動きには今までにない迅速性と広範囲性が見て取れる。25日にウルムチという中央から遠く離れた都会で起きた抗議行動が、まさに燎原の火のごとく（野火が急激に燃え広がるように、勢いがあること）、あっという間に全国範囲に広がってしまったのだ。

もうひとつ、重大な特徴がある。

最初は政府のゼロコロナ政策に基づく封じ込め（都市封鎖）に反対する運動から始まったのだが、数日間のうちに革命の色彩の強い政治運動へとエスカレートしてしまったということ。上海・北京・成都などのデモに参加する人々が叫ぶスローガンは見事に政治運動のそれであった。

「（習近平が目指している）終身制はいらない」
「（習近平を指して）皇帝はいらない」
「改革（鄧小平の路線）は必要。文革（毛沢東の路線）はいらない」

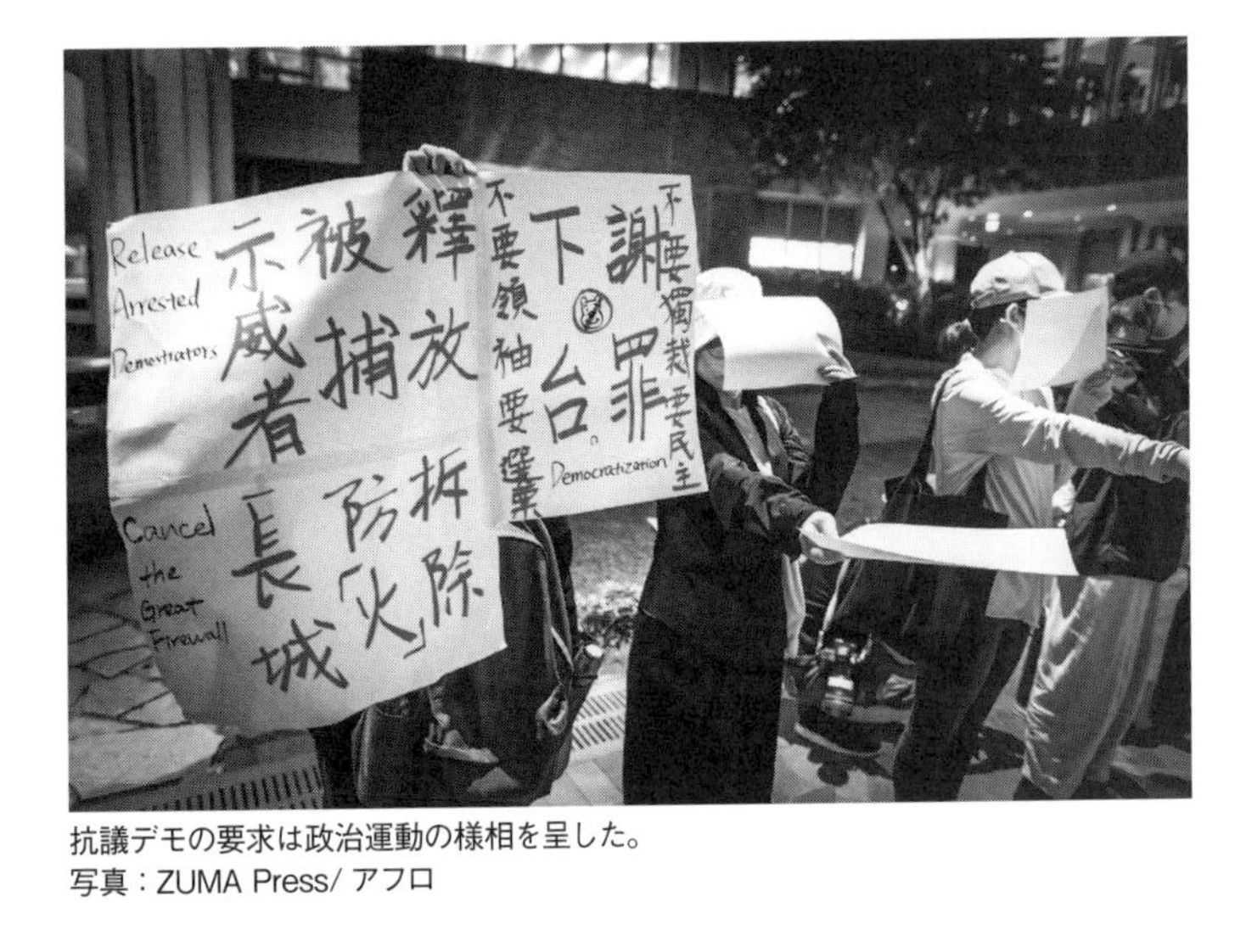

抗議デモの要求は政治運動の様相を呈した。
写真：ZUMA Press/ アフロ

「自由は必要。独裁はいらない」

このように、習近平主席云々ではなく、共産党の独裁体制そのものに対する否定までが叫ばれたのだ。

上海においては、「習近平退陣せよ」「共産党退陣せよ」という先鋭化した政治的要求も表面化し、共産党政権そのものに矛先を向け、革命運動の様相を呈した。

今回の規模では革命運動とは言えないが、体制そのものを否定している点は見逃せない。

要するにデモが〝革命〟という意味合いを持つようになっているのだ。

しかも、中国共産党政権の最高指導者に

対して「退陣せよ」「引っ込め」と訴える政治的スローガンが掲げられたのは、1949年に共産党政権ができてから初めてなのである。前代未聞の出来事なのだ。

たとえば天安門運動では学生たちは共産党に対して「反腐敗」や「民主化」を叫び、政治体制の改革を求めた。しかし中国共産党に対して「お前たちはもう退陣せよ」という趣旨のスローガンは出さなかったのだ。

今回の抗議運動は規模こそ天安門運動より小さいが、政治的要求の面においては天安門運動を遥かに超えていると認識すべきなのだ。

学生たちの不満

今の中国の学生たちは、大学を卒業してもなかなか就職できない超氷河期の渦中である。彼らの根底には、習近平体制がもたらした不況に対する不満があった。

さらにネット環境が整い、若者たちは自分の意見を多くの人々に伝える手段を手に入れたにもかかわらず、当局の規制により政治的主張には一切使えないのである。

それもまた、「自由がない」と叫ぶ現実であり、習近平体制、共産党一党独裁への不満も存在していた。

そして、学生ゆえに、おかしなことはおかしいと認識する能力もある。今回のゼロコロナ政策に伴う締めつけやロックダウンは、「この不自由さはおかしい」「自由を失うとは何か」を若者たちに認識させることになったのだ。

日本人の学生には「自由がほしい」というスローガンは響かないだろう。自由があるからだ。そして本来は、中国人にもあまり響かないのである。ゼロコロナ施策以前は政治的主張さえしなければ、日常生活は比較的自由だったからだ。

私は天安門事件の時代に学生だったが、当時、自由や民主化を叫ぶ私たち学生にも、不自由に対する〝切実な体験〟はなかった。

ゼロコロナ政策下を生きる学生たちは、行動、外出、移動などすべての自由が奪われ、政府が動員した大白(ダーバイ)(白い防護服を着た防疫スタッフ)による横暴な規制などで、独裁権力の恐ろしさ、つまり、〝愚かな政策によって人々のすべてを奪う〟ということを実体験したのだ。

ゆえにゼロコロナ政策に対する反発が、「自由が欲しい、独裁反対」という政治的スローガンに直結するのは当然と言えるのだ。

もちろん、今回のような一度の民衆運動で体制が崩壊することはないが、次に何かきっかけがあれば、今回のデモの何倍もの威力で爆発する可能性はある。それが勃発すれば習近平政権と国民の対立は修復不可能になりかねない。

ともあれ「白紙の乱」は、習近平氏にも大きなダメージを与えたのは事実だ。統治者として民心を失ったという事実は拭いがたいからだ。

しかし、自らの政策を顧みて反省することはないだろう。いつも通り、海外の敵対勢力の浸透のせい、若者たちが思想的に間違った方向に走った——と結論づける。そして思想的引き締めと洗脳教育、言論統制に力を入れるのだ。

前代未聞の政治的訴えが生じた3つの要因

ここにきて反共産党の政治運動が勃発した理由は何か?

私はその背景には大きく3つの要因があると考えている。ひとつは習近平政権のゼロコロナ政策に対する国民の反発だ。3年間にわたって、極端で乱暴なゼロコロナ政策が執行されてきたのである。

このゼロコロナ政策による封鎖政策の乱暴さや極端さについて、私の故郷の成都の例を挙げてみよう。

成都は中国南西部・四川省の都市で人口２０００万人以上の大都会である。そこが２０２２年の９月１日、突然都市封鎖されたのだ。封鎖された理由は１日の新型コロナ新規感染者数が１５０人を超えたからだ。

新規感染者が８月31日に１日１５７人になった翌日、２０００万人の大都市をロックダウンした。

この極端な施策を実感するうえで、同日の東京都の１日の新規感染者数を見てみたい。新規感染者数は１万４５５２人である。なんと、１万人を超えていたのである。東京ではロックダウンなどはなく、この時点では時短営業の要請すら解除となっており、通常の市民生活が営まれていた。

それに対して、東京の１００分の１、１５０人程度の新規感染者数で２０００万人の人々に「お前たち、家から一歩も出てはならない」と命令するのである。

たとえば病人が重篤になっても、封じ込められているから病院に行けない、産気づいても産婦人科に行けないのである。

病院に行けない人々が自宅で亡くなってしまうという惨事が市内各所で起きた。消費活動も生産活動も停まり、経済も停滞した。

自由だけでなく日常生活も失うような異常な政策に対する国民全体の忍耐、それがもう限界を超えていた。２０２２年の秋以降、いつ大きな反乱が起きてもおかしくなかったのである。

ゼロコロナ政策に対するあらゆる不平不満や憤りが、指導者の習近平ひとりに集中する――これが独裁体制だ。

ではなぜ、この国民の不平不満に耳を傾けることをしなかったのか？

想像するに、この悲惨な現実はあまり習近平の耳に入っていなかったと思われる。なぜなら、真実を教えたら、伝えた者は叱責されるからだ。ゆえに側近はもとより、各地の幹部も不都合な真実は報告しない。

「国民には不平不満がある」などと報告しようものなら、自分自身が習近平に不信感を持たれるからだ。

つまり、今回のデモで国民の不満が表面化したことによって、習近平主席は問題の重大性に気づき、狼狽（うろた）えることになったのだ。

2022年の上半期で約46万件の企業倒産

2つ目の要因は深刻な経済の低迷だ。

そもそも中国経済は、鄧小平による改革開放がもたらした高度成長期が完全に終息していた。コロナ禍の前から絶賛沈下中だったのだ。

大きな要因は、個人消費の不振、安い労働力の確保が難しくなったことによる輸出の不振、過剰な不動産投資による不動産市場の崩壊が挙げられる。

そこにゼロコロナ政策が追い打ちをかけ、商店主や中小企業を中心に企業倒産ラッシュが巻き起こった。

なんと、2022年の上半期だけで中国全国で約46万件の企業倒産が報告されている。では、同年上半期の日本全国での企業倒産件数はどれほどか。その数は約3000件である。いかに中国の企業倒産件数が異常かおわかりいただけるだろう。

それによって生じた若者を中心とした失業拡大に加え、給与削減による公務員の生活困窮、不動産市場の崩壊による中産階級の破産など、さまざまな階層の国民が困窮していたのだ。民衆の不満は爆発寸前だったのである。

胡錦濤前主席が途中退席させられることになった党大会。
写真：AP/ アフロ

国民からの信頼を失った習近平

3つ目が習近平氏自身の問題だ。

中国共産党の総書記に就任してから10年間、失策、愚策を重ねて国民からの信頼は地に落ちていた。その中で自分の政治的野望のために鄧小平時代以来のルールを破って2022年10月の党大会自らの続投を強行したのである。

続投を決めただけでなく、政敵となる開明派、改革派と思われる李克強氏といった指導者たちを一掃。

さらに歴代指導者の中で国民的人望のある胡錦濤（こきんとう）を党大会席上から強制退場させる場面を演じてみせた。

実績のない無能・無徳な取り巻きたちを大抜擢して最高指導部を固め、着々と進めてきた個人独裁体制を完成させてしまったのである。もし個人独裁体制でなければ、コロナ政策に対して習近平主席の決断を諫める幹部や、もっと穏便な案を提案する者も出てきたはずである。公称14億の国民が指導者の短絡的で軽率な意思決定に翻弄されているのだ。

このような政治の結果に国民の多くが習近平主席を中心とした共産党の体制に対して絶望感を持つのは当然と言えよう。しかも習近平氏はこれから3期目の5年間、さらにはその先までも視野に入れているのだ。

中国国民にとって「もうウンザリ」なところまできていたのである。

以上のようにゼロコロナ政策に対する反発、経済状況の悪化と、習近平体制に対する絶望感、この3つが重なって中国全土はいつ反乱が起きてもおかしくない発生温床が出来上がっていたということだ。

そこに着火剤となる情報、状況が火をつけ、一気に爆発したのである。

着火剤となったウルムチ市内の高層マンション火災

新疆ウイグル自治区ウルムチ市のマンション火災。
写真：AP/ アフロ

着火剤となる事件が起きたのは2022年11月24日、新疆ウイグル自治区ウルムチ市内の高層マンションで起きた火災である。

マンションの火災が起きたとしても、迅速な避難・救助・消火ができれば被害は最低限に抑えられるのが通常だ。

しかし当時ウルムチ市はゼロコロナ政策の下、すでに3カ月以上もロックダウンされており、住民は基本的にマンションから外に出られない不自由な生活を送っていたのである。

マンションの敷地にも柵があり、周辺の道路にもいくつもの柵や検問があった。マンションの玄関も外から施錠されていたという情報もあるが、真偽は定かではない。

政府発表では火元となったのは15階の部屋と見られ、火は17階まで燃え広がり、煙は21階にまで達し、３歳の子どもを含め10人が死亡、９人が負傷した。

消防車の到着も非常に遅かった。

当該マンション周辺には、ロックダウンに伴いガソリンや電気が切れた住民の自家用車などが多数停められていたことで、消防車がマンションに接近できず、消火活動が遅れたとも言われている。

火災の発生後、中国のＳＮＳには、燃えるマンションの様子を撮影した動画や、現場の状況報告、哀悼の思いなどが投稿された。「なぜ、こんなに消防車が来るのが遅いのか？」「実際にはもっと多くの人が亡くなっているのでは？」など、当局に対する疑惑と怒りの声も上がったが、当局を批判するものは検閲され削除されていったのだ。

市民は感染対策の行動制限が原因で、住民が脱出できなかったと訴えるが、当局は当然これを否定した。

ＳＮＳによって伝播されたこの事実は国民に大きな衝撃を与えた。「いずれわが身もこんな目に遭うだろう」と実感したのだ。

この一件がゼロコロナ政策に対する反発に一気に火をつけたのである。

翌日の25日の夜、ウルムチ市内の共産党の市政府本部ビルの周辺に数万人の市民たちが集まってきて、ビルを包囲した形で抗議活動を行った。

この行動が全国に広がる抗議運動の幕開けとなる。実際には、それ以前にも別のところでゼロコロナ政策に対する散発的な抗議行動もあったが、集団的抗議運動が発生したのはこの25日の夜が初めてだったのだ。

国民の苦しみに無関心な最高指導者

ウルムチ市の市政府本部ビルを包囲した抗議活動があった翌日。11月26日の人民日報が一面トップで伝えたのは習近平主席関係のニュースだった。新疆ウイグル自治区で起きた悲惨な火災、抗議活動については一切触れていない。

しかし、この習近平主席のニュースが中国国民の憤りに燃料を加える。

ニュースの趣旨は以下の通り。

「習近平主席はソロモン諸島の地震被害に対し、ソロモン総督に弔意電報を送る」

これは11月22日にソロモン諸島を震源として発生したマグニチュード7・3の地震

時系列で見る「白紙の乱」

11月24日

ロックダウン中の新疆ウイグル自治区
ウルムチ市でマンション火災が発生し
犠牲者が出る。

11月25日夜

ウルムチ市内の市政府本部ビルの周囲を
数万人の市民たちが包囲し抗議活動を行った。

11月26日朝

人民日報が習近平主席のソロモン諸島地震への
弔問電報をトップニュースとして伝える。

11月26日深夜

上海市内の烏魯木斉路に若者を中心に多くの
市民がマンション火災の被害者を
弔うために集結。「習近平退陣」などの
政治的スローガンが叫ばれる。

11月27日午前

ウルムチ市当局が記者会見を開き、
段階的な都市封鎖解除と市民生活平常化を発表。

11月27～28日未明

上海に続き、北京、成都、西安、深圳などの
18都市と79の大学で抗議活動。
国民的運動として全国に広がった。

が発生したことに対するお見舞いだ（日本の気象庁震度階級に換算すると震度4から震度5強程度に相当する揺れを観測、津波警報は解除された）。

新疆ウイグル自治区のウルムチ市で国民が焼死したことに対しては無視を貫き、ひと言も発さないというのに、中国国民にとってはどこにあるかもわからない外国の地震に対しては弔意電報を送る習近平主席――。

確かに、2007年にソロモン諸島沖で発生したマグニチュード8・1の地震による津波はソロモン諸島に大きな被害を及ぼした。2013年2月にもソロモン諸島沖でマグニチュード8・0の地震が起こり甚大な津波被害が生じた。

しかし今回の地震は2007年、2013年ほどの規模ではなく、幸いにも津波は起こらなかったのだ。

外国の地震に対して弔意電報を送り、コロナ政策のせいで焼死した国民に対してお悔やみのひと言もない最高指導者。中国国民からすれば、「そんな非道な指導者があるのか？」ということだ。この26日の報道に対する憤りが、抗議運動の全国的拡散に拍車をかけた。

26日の深夜から未明にかけて、上海市内の烏魯木斉路（ウルムチ通り）に若者を中心に多くの市民が、ウルムチのマンション火災の被害者を弔うために集まった。そのなかで徐々に熱気が高まり、「習近平退陣」「共産党退陣」という驚天動地のスローガンが叫ばれることになったのである。

それを受けて、27日午前にウルムチ市当局は記者会見を開き、「28日から段階的に市内の封鎖を解除し、公共交通機関の運行を再開させて、市民生活を元通りに戻す」という方針を発表した。

一般市民からすれば、25日の夜にウルムチ市民が市政府本部ビルを包囲して抗議活動を行った結果、政府が封鎖解除を発表したと捉えるのは当然のこと。

つまり、市民にとっては「抗議行動を起こせば、当局が折れる」という前例が生まれたのだ。当然、それは全国でロックダウンに苦しむ中国国民への大きな鼓舞となり、「オレたちもやるぞ」と、各地の市民が反封じ込め運動に奮い立つことになる。

27日から28日の未明にかけて、上海に続いて北京・成都・西安・深圳など中国全土の18の都市と79の大学で抗議活動が行われた。

それは天安門事件以来、最大規模の群衆的反乱運動となり、国民的運動として全国に広がったのである。

12月7日、ゼロコロナ政策の事実上の撤廃

中国の司法と警察部門を統括する党中央政法委員会が「敵対勢力の破壊活動は断固として取り締まる」という指示を出したと新華社通信が2022年11月29日に報じた。

当局は警察力を動員して抗議デモの沈静化に成功したのだが、1週間後の12月7日、ゼロコロナ政策の撤廃とも言うべき新ガイドライン「新十条」を発表したのである。「新十条」の主な内容は以下の通り。

●各地における「強制的な全員PCR検査の定期実施」の廃止
●公共交通機関と病院・学校を除く公共施設、商店、スーパー、オフィスビルなどを利用する際のPCR検査陰性証明の提示は廃止
●省や自治区などを越えて移動する際の陰性証明の提示は廃止
●すべての感染者を隔離施設や病院に移す処置は廃止、無症状あるいは軽傷の感染者の自宅隔離を認める
●感染拡大への封鎖措置に関しては、都市全体あるいは住宅団地全体の封鎖は止め、

封鎖は感染が確認された建物やフロアに限定される

中国の「ゼロコロナ政策」という単語を聞いたことはあっても、他国のことだと流していたとしても当然。日本だってコロナ禍なのだから、なにより自分たちの国の行く末に目を向けるはずだ。しかし、「新十条」の緩和内容をご覧いただき、緩和される前の中国の3年間がどんな状況だったかを想像すると、ゾッとすることだろう。まさに、抑圧された異世界ではないか。

今までのゼロコロナ政策はコロナの完全撲滅を目指すために、国民全員の定期的PCR検査を前提とし、広範囲の物理的封じ込めを柱としてきた。

この「新十条」は、実際はゼロコロナ政策緩和どころではなく、ゼロコロナ政策そのものの破棄と言っていい。

考えてみてほしい。この政策大転換は、コロナ撲滅という当初の政策目標を達成しての政策転換ではなく、むしろ感染拡大状況下での転換なのである。つまり、ゼロコロナ政策そのものの敗退を意味している。

緩和に伴い、今後の爆発的な感染拡大に備える新たな対策が用意されているわけでもない。高齢者など、重症化率の高い層へのワクチン接種も行き届いていない。緩和後に逼迫する医療体制への対策もないのである。極論すれば、コロナ対策の放棄だ。「反封じ込め運動」から「反習近平、反体制運動」にまで先鋭化し、全国的に拡大した抗議行動は習近平政権に多大なる打撃を与えた。

ゆえに反体制運動の拡大を恐れ、民衆の不平不満を緩和するために急遽ゼロコロナ政策からの転換を図ったと思われる。

ゼロコロナ政策の緩和策とそのタイムスケジュールはデモが勃発する前から中国共産党政治局常務委員会で検討されており、本来は2023年初頭から徐々に緩和を図りつつ、2023年3月の全人代終了後に完全に解放する予定だったようだ。

この突然の大転換が意味するところは、習近平政権は民衆の抗議運動に押されて、感染拡大中にもかかわらずゼロコロナ政策撤廃を余儀なくされたということだ。これは、民衆に対する政権の敗退に他ならない。

国民と経済に大きな負担を強いるゼロコロナ政策を3年間続けたにもかかわらず、政策を撤廃し、今後はコロナ拡大を許す以外にない。つまり、2022年末、習近平政権はコロナと民衆、その両方に敗退したのである。

当局による拘束

今回のデモを見て、香港の大規模なデモを思い起こした方も多いことだろう。

そして、その記憶には香港政府の「逃亡犯条例」改正案に抗議し、デモを扇動したとして実刑判決を受け収監された周庭（アグネス・チョウ）さんの姿も焼きついているはずだ。

デモに対しては必ず当局による〝デモの中心人物の拘束〟が伴う。今回の白紙革命で大きな叫びを上げた学生たちの〝その後〟を案じていた方もいることだろう。

その懸念は正しい。

２０１５年7月1日に施行された天下の悪法「国家安全法」をご存じだろうか。

習近平政権は新たな総合的国家安全体系の構築を目指し、国家の安全を政治、経済、社会の各分野について幅広く規定する国家安全法を２０１５年7月1日に施行した。

そもそも国家安全法は１９９３年に制定されていたが、全34か条からなる同法は、反スパイ活動に関する規定を中心とするものであった。

習近平政権は制定から20年以上経過した国家安全法を見直し、国家・国土・情報・

テロ対策・宇宙利用にいたるまで視野に入れた全84か条からなる新しい「国家安全法」を制定したのである。

新しい「国家安全法」が施行されて間もない２０１５年7月9日、当局は数百名の人権派弁護士・活動家を摘発し、多数が有罪判決となった。同日に逮捕され、懲役3年の有罪判決となった勾洪国（こうこうこく）さんが起訴された主な罪状は「レストランにて集会参加、『弁護士による労働運動への介入』について討議」である。

討議しただけで逮捕・有罪、国家の安全を脅かす行為とされるのだ。意見を封じ込める天下の悪法なのはお察しいただけるだろう。

この「国家安全法」に準じて、２０２０年6月には「香港国家安全維持法」として香港でも施行されることになった。その骨子は大きく5つ。

①国家分裂、政権転覆、テロ活動、外国勢力と結託して国家安全に危害を加える行為を処罰

②香港政府が「国家安全維持委員会」を設立

③中国政府が指導・監督のために「国家安全維持公署」を設置

④中国政府は特定の情勢下でごく少数の犯罪案件に管轄権を行使

⑤国家安全維持法が香港の他の法律と矛盾する場合、国家安全維持法を優先

③の「国家安全維持公署」とは中央政府直属の公安警察・秘密警察機関で、共産党政権の管轄下で独自に捜査権・逮捕権を行使する。つまり、香港政府の管轄下ではなく、香港政府の上位に立つ警察権力を存在させるということだ。

⑤は香港の法律よりも国家安全維持法を優先させるとある。香港基本法を完全に無視して、国家安全法の恣意的な拡大解釈により、弾圧・粛清し放題ということだ。これはまさに〝一国二制度の死〟を意味する。

さらに、この「香港国家安全維持法」は外国人にも適用される。信じがたいことだが、第38条を見てみよう。

●第38条
香港特別区住民の身分を持たない人が、香港特別区以外の場所で本法律の定めた法律を犯した場合、本法律の適用となる。


「ちょっと何を言っているのかわからない」

そう思う方がほとんどだろう。

つまり、日本人（香港特別区住民の身分を持たない人）が日本（香港特別区以外の場所）にいても「香港国家安全維持法」が適用されるということだ。

これが異世界のルールでなくて、何なのだろうか。

「香港国家安全維持法」は一国二制度の死と述べたが、これは金の卵を産む鶏を自ら殺す行為でもある。

結果として、香港は香港人の大量国外流出、人材と資金の流出、外国企業・金融機関の撤退、自由貿易港としての機能喪失、国際金融センターとしての衰退を余儀なくされた。そして、一国二制度の約束を公然と反故（ほご）にしたことで、もとから薄い国家的信用がさらになくなり、英米との対立も先鋭化した――。

この行為で習近平政権は失うものばかりである。得るものは何か？

それは独裁者の心の安寧だ。反対勢力と批判の声を一掃しつつ、香港の支配を完成させ、習近平氏は気持ちよく眠れるのである。

「いやいや、そこまで愚かなはずがない」と考えるのは、われわれ日本人の価値観であって、中華の価値観ではない。それは第2章以降でゆっくりひもといていこう。

静かな粛清

2023年1月20日、日本の大手メディアが衝撃的なニュースを伝えた。

中国当局が抗議デモ参加者を相次いで拘束していると告発する動画が、インターネット上で拡散している――というものだ。

当局に拘束されたとみられるデモ参加者にして告発者の女性は、北京大学出版社で編集の仕事に従事している曹芷馨（そうしけい）さん。

曹さんは動画内で「皆さんがこの動画を観ているとき、私は既に警察に連行されている」と述べ、自分が行方不明になったら当該動画を公開するよう友人に頼んだと説明。そして、「私たちは現場で秩序を守り、警察との衝突も一切なかった」「私たちは、いわれもなく消え去りたくない」と訴えたのである。

中国の人権情報を集めたウェブサイト「維権網」などによると、曹さんは２０２２年11月27日に北京市中心部で行われたデモに友人と参加したが、その後に警察に拘束され取り調べを受けた。一旦は解放されたが、12月18日に複数の友人が逮捕され、曹さん本人は24日に消息を絶ったとみられる。

アメリカのシカゴ大学東アジア研究所も1月18日に声明を出した。

同大大学院卒の秦梓奕（しんしえき）さんが、２０２２年11月末に起きたゼロコロナ政策に抗議するデモに参加した後、当局に拘束されたとして懸念を表明し、早期解放を求めたのである。

「これは香港デモの二の舞か？」と思いがちだが、事態は大きく違う。

香港の場合、当局は見せしめとして白日の下、反対運動のキーマンを拘束していた。しかし今回、当局はデモ参加者に対する対応について明らかにしておらず、拘束の実態は不透明なままである。つまり、デモが沈静化した12月以降、当局は参加者を特定し水面下で摘発を進めているということだ。

政権に勢いや自信があれば、堂々と拘束するはずである。白昼堂々と拘束することで、民衆を恐れさせ反抗心を削ぐのだ。だが、今回はそうしなかった。

この卑劣なやり方が何を意味しているか。政権が極めて自信を失っていることの表れである。政権に異を唱える反乱分子を野放しにすれば、反乱の温床は大きくなる。しかし、堂々とやれば、民衆の不満はさらに高まり、革命運動にも発展しかねない――。当局が表明せず、国営メディアも沈黙しているのは政権としての自信喪失、末期症状の証明とも言えるのだ。

白紙の乱の行方

「皇帝はいらない」という叫びは、つまり習近平政権の打倒、自由・民主の獲得という政治的目標の達成に向かう政治運動、政治革命のきざしであると述べた。

では今後の展開はどう推移するだろうか?

ゼロコロナ政策が撤廃されたところで、コロナは解決したわけではなく、感染爆発が野放し状態になっただけ。経済的問題、習近平への不信も解決したわけではない。つまり、革命の温床は存続していると言っていい。

今までデモ活動に対して殺戮で対処されてきた経験を活かせば、その運動は激しい反乱というよりも、静かに浸透する温和な形の「白紙の乱」あるいは「白色革命」として持続的に展開していくことが予想される。

しかし、それが直接、共産党政権の崩壊に繋がるとは思えない。共産党の独裁体制がどこまで続くのかということと、中国が民主主義国家になれるかは、まったく別の問題だからである。

毛沢東の時代で疲弊しきった中国共産党は、鄧小平の改革開放政策によって数十年間、延命することができた。

しかし、それは共産党に自浄能力があったからではなく、物事が極端になって反対の方向に転じただけのこと。いずれにしろ、共産党政権が潰れて、すぐさま民主国家へ転換するなどということはあり得ない。

とはいえ、習近平氏が個人独裁体制を完成させたとたん、失政によって国民の信用を失い、〝舐められている〟のは事実である。

個人独裁によって国民に大きな被害を与えた毛沢東に対して国民は畏敬の念を感じることはあっても〝舐めてかかる〟ことはなかったのだ。

習近平氏の皇帝政治は末期症状であることは確かだが、追い込まれた皇帝の行動には注視しなくてはならない。

その第一歩として次章では中華皇帝の皇帝政治を紀元前まで遡って見ていこう。結論から言えば、その行動原理は21世紀の現在もたいして変わっていないのである。

第2章

皇帝の設定

中華の世界観と皇帝の行動原理

唯我独尊かつ傍若無人な振る舞い

一般的な日本人が持つ中国に対する〝危機感〟の大きな要因は、習近平政権の外交政策であろう。その唯我独尊かつ傍若無人な振る舞いは、日本のみならず、西欧の価値観、そして国際ルールも逸脱したものである。

習近平氏は就任してすぐに、「民族の偉大なる復興」というスローガンを政策理念として掲げた。ここで言う〝復興〟とは何か。それはすなわち近代になって失われた往時の中華帝国の栄光と覇権を取り戻すということだ。

そのために南シナ海では軍事拠点化を迅速に推し進め、周辺国の生命線となるシーレーンを押さえることによって中国の支配体制の確立を目指している。

そして「一帯一路」。この長期的なプロジェクトはアジアとアフリカとヨーロッパの一部を中国の経済的支配下に置いて、中国を頂点とした植民地秩序を樹立することが目的だ。さらに日本固有の領土である尖閣諸島を奪取する野望を剝き出しにして、尖閣周辺の日本の領海を恣意的に侵犯している。

習近平主席は、中国共産党創建100周年の記念日の演説の中で平和的な統一を進めると言いつつも「いかなる台湾独立のたくらみも粉々に粉砕する」と強調した。独立国家である台湾の併合を国家的目標として公然と掲げ、台湾への侵略を着々と準備していることもご承知の通りだ。

国内の少数民族に対しての所業は、倫理基準から見ても〝あり得ない〟を通り越して、もはや悪魔の所業である。

チベット人、ウイグル人などの民族を標的にした赤裸々な民族浄化政策がそれだ。新疆ウイグル自治区に住むウイグル人に対して、100万人単位の男女を強制収容所に閉じ込め、洗脳教育と拷問・虐殺の限りを尽くしている。

さらに収容したウイグル人女性たちへの性的暴行も日常茶飯事。多くのウイグル人女性に不妊手術を強制し、ウイグル人に対する民族浄化を組織的に行っているのだ。

南モンゴルではモンゴル人を含む多くの民族から言葉（母語）を奪って中国語の学習を強制し、固有文化の抹殺を行っている。いわゆる〝教化〟だ。

なぜ、21世紀の今、国際秩序を乱してまで現状変更を進めるのか、なぜ自国民に対して人道的にあり得ない行いを平然と実施できるのか。

日本人にとっては、その理由は想像もつかない。もちろん、西欧的価値観からも理解不能である。まさに異世界、しかもダーク・ファンタジーの世界だ。しかし、これは映画や小説の世界のエピソードではない。現実なのだ。

２０１２年11月、胡錦濤前総書記の退陣に伴って習近平氏は党総書記に就任。そして２０１３年３月の全国人民代表大会で国家主席に就任した。

習近平主席は政権スタート時から、鄧小平時代以来の「集団的指導体制」を破壊して自らの個人独裁体制強化に注力してきた。さらに国家主席の任期制限を撤廃。自らの終身主席への道を強引に切り拓いた。かつての毛沢東に倣（なら）って終身独裁者として中国に君臨し、事実上の〝皇帝〟になろうとしているのである。

詳しくは後述するが、古（いにしえ）の時代から中華皇帝は対外的征服を行って周辺地域を支配下に置かなければならない。習近平は共産党政権のトップとなって以来、鄧小平時代以来の対先進国「友好外交」を「戦狼外交」へと路線転換し、侵略的な覇権主義路線を推し進めている。これは〝皇帝〟たることを目指しているなら当然なのだ。

これはすなわち、中華皇帝の行動原理、いわゆる「皇帝政治」のなんたるかを認識していれば、この21世紀の皇帝の悪行も予測しやすいということでもある。

習近平国家主席。写真：Photoshot/ アフロ

2000年以上続いた皇帝による独裁

現在の中華人民共和国は共産主義国家であることはご存じだろう。もちろん、この共産党一党独裁の政治体制もまた、日本人にとっては異世界であることは間違いないが、ここで俯瞰すべきは中華人民共和国建国74年という短いスパンではない。習近平の展開する「皇帝政治」を知るには、考古学的に存在が確定された殷(いん)王朝から現在まで約3600年間というスパンで俯瞰する必要がある。

さて、この3600年間をどう区分するか?

日本の歴史教科書的にセグメントすれば、大きな時代区分として、古代→中世→近世→近代。そして歴代王朝、国家が細目として時代区分に組み込まれる。

ちなみに中国の歴史学界はマルクス主義史観の時代区分に従って、中国史を、奴隷制時代→封建制時代→資本主義時代→社会主義時代、というイデオロギー先行の4つの時代(社会制度)で区分している。まさにフィクション。悪い意味での異世界だ。

中国の政治体制を認識するうえで、私が提唱するシンプルかつ明瞭な時代区分がある。それは「王の時代」と「皇帝の時代」だ。

歴代王朝と時代区分

王の時代

殷（BC16C～BC11C）
周（西周：BC11C～BC771）
春秋時代（BC770～BC403）
　　東周（BC770～BC256）
戦国時代（BC403 ～ BC221）

韓魏趙斉燕楚秦

皇帝の時代

秦（前BC221～BC206）
漢（前漢：BC202～8／後漢：25～220）
三国時代（220～280）

魏蜀呉

晋（265～420）
南北朝（439～589）

南朝：漢民族王朝
北朝：異民族王朝

隋（581～618）
唐（618～907）
五代・十国時代（907～960）
北宋（960～1127）
南宋（1127～1279）　金（1115～1234）
元（1271～1368）
明（1368～1644）
清（1616～1912）

共和制の導入

中華民国（1912～、現台湾）
中華人民共和国（1949～）

共産主義体制

たった2つの区分で3600年を切り分けるのは単純すぎると思われるかもしれないが、実は政治体制の認識という視点に立てば、これ以外にないのである。

「王の時代」

最高統治者は皆「王」と名乗り、政治体制は「封建制」である。始まりは、実在するとされる最初の王朝の殷王朝（紀元前1600年頃に成立）から西周王朝の時代、そして東周＝春秋戦国時代。およそ1400年間である。

「皇帝の時代」

次の時代区分「皇帝の時代」は前221年に秦国国王の嬴政（えいせい）が天下統一を果たして皇帝と名乗ったときから始まり、清王朝最後の皇帝が退位するまでの期間だ。まさに「皇帝」が統治した「中央集権制」の約2100年間である。

2つの時代区分の象徴的な部分は「王」と「皇帝」という称号ではあるが、注目してほしいのは秦の嬴政が「皇帝」と名乗ったときを転換点として、その前後の王朝の統治システムがまったく違うということだ。

始皇帝以前が「封建制」で、始皇帝以降が「中央集権制」。つまり皇帝による独裁体制の始まりである。日本は封建制を経て近代に至ったが、中国は封建制を経て皇帝独裁の中央集権制に移行したのである。

王の時代の封建制は江戸時代に似ている

さて、本題である皇帝による独裁統治「皇帝政治」を語る前に、「王の時代」の封建制がどんな政治体制だったかを確認していこう。

実は、紀元前1600年から220年までの政治体制である封建制は、日本の江戸時代の幕藩体制を思い起こせば理解しやすい。

まずは紀元前11世紀に成立した周王朝（西周）のケースを見てみたい。ちなみに孔子の教えにおいて周は理想的な時代とされている、いわばユートピアである。

王朝の中心には都（鎬京（こうけい））があり、王は主権者であり、祭司でもある。日本の場合なら平安朝の天皇の役割と似ている。王が直接支配する地域は国全域ではなく、都の

王の時代と皇帝の時代

	王の時代	皇帝の時代
	殷・周	秦〜清
統治体制	封建制	中央集権制
地方自治	諸侯	官僚
民衆の反乱	ほとんどない	歴史に付きもの
	ユートピア 「善政」の理想型 「古」こそが善き時代	ディストピア 反乱と内戦が不定期的に繰り返す不幸の時代
	天下為公の政治	天下為私の政治

周辺地域が基本で、そこは「近畿」と呼ばれる。そう、日本でもお馴染みの言葉である。

近畿以外の広大な土地のほとんどは、王に忠誠を尽くす、封土（知行地）を与えられた諸侯たちによって治められる。江戸時代の日本で、３００の諸侯（大名）がそれぞれの領地を「藩」として統治しているとの同じである。ちなみに、この「諸侯」も王の時代に生まれた言葉である。

諸侯たちは、幕藩体制の大名同様に自分の領地においては一国一城の主である。一方の王も、諸侯たちの上に君臨はするが、諸侯たちの領地に対する直接支配権を持っておらず、諸侯たちの領地からは税を取らない。

周王朝の王は天下の主であるが、それは名目上であって、天下万民を直接支配しているわけではなく、天下が王の私的所有物ではないのが特徴だ。

皇帝による独裁の始まり

秦の始皇帝の時代から中央集権制が敷かれた。これがいわゆる清まで続く「皇帝政治」の始まりである。皇帝が天下万民すべてを直接支配する政治体制だ。

秦で導入された中央集権制は「郡県制」と呼ばれるもの。封建制と異なり、全国の土地を諸侯たちに領地として分け与えるのではなく、それらを郡と県という行政区に分け、王朝が派遣する官僚によって統治する。

中央集権制の下では、官僚たちは皇帝の命令を受けて各地方の統治にあたるが、封建制の諸侯たちと違って、彼らはもはや、各地方の人民にとっての主ではない。人民にとっての唯一の主・支配者は皇帝その人であって、官僚はただ、皇帝の手足であり僕(しもべ)であるにすぎない。

官僚は、皇帝の代行者として政治権力を行使している点では人民より上位であるが、皇帝の僕である点においては、実は人民と何の変わりもない。つまり皇帝が唯一の主、人民と官僚のすべては僕であるという、いわば「一君万民」の政治体制が、まさに秦の始皇帝の手によって完成したのである。

天下の私物化、ここにはひとつ、たいへん重要なポイントがある。皇帝が天下唯一の主となって、万民も官僚も彼の僕となるなかで、天下はもはや万民のものでもなければ、封建制の時代のように諸侯たちと共有するものでもない。天下はまさに皇帝ひとりのもの、所有物となったのである。

始皇帝

しこうてい

（BC259-BC210）

前 247 年、13 歳で戦国七雄の秦王となる。秦での王名は政（嬴政）。前 221 年に中国統一を達成。世襲の帝位である「皇帝」の称号を自ら考案。独裁権力としての皇帝政治の基礎を作り、後の歴代王朝に継承されていくことになる。周以来の封建制を廃止し、郡県制を採用して広大な中華に中央集権体制を確立した。始皇帝の没後に陳勝・呉広の乱が勃発すると、全国各地で農民反乱が続き、秦王朝はわずか 15 年で崩壊した。
写真：アフロ

つまり、天下国家はその「公」としての性格、すなわち「公共性」を完全に失い、まったくの私的なものとなった。

実は、それこそが封建制の「王の時代」と中央集権制の「皇帝の時代」との最大の違いであって、「公共性の喪失」あるいは「天下の私物化」こそ、「皇帝の時代」における中国の政治制度・社会制度が持つ最大の特徴と言っていいだろう。

始皇帝から習近平まで、皇帝政治の本質は不変

秦と清の歴史的時間は2000年以上を隔てているが、細部は異なれど、天下万民を支配する独裁、中央集権による皇帝政治の本質は変わっていない。つまり専制、独裁をずっと行ってきた。もちろん、折に触れ必ず逆戻り(分権化傾向)もある。しかし、基本は誰が「皇帝」になるかだ。秦王朝が嬴の一族、漢王朝が劉の一族というように、どの一族が天下をとるかがすべてである。

近代になって短い共和制の時代(中華民国)もあったが、皇帝政治による統治、その本質は秦の始皇帝から今までほとんど変わっていないと言ってもいい。

中華の歴史においては異民族による征服と支配が繰り返されていることから、王朝が変われば、異民族の統治システムに変わると思いがちであるが、元のモンゴル族にしろ、清の女真族（満州族）にしろ、当然、独自の文化・慣習による差違はあるが、中華伝統の皇帝政治を活用している点では一緒だ。

始皇帝以来の中華皇帝の器を使い回していると言えばわかりやすいだろうか。言い換えるならば誰が統治しても結果的に〝中華帝国〟になってしまうということだ。

征服王朝（異民族支配）

遼　契丹

北東アジアの遊牧民である契丹の耶律阿保機が916年に建国。二重統治体制によって華北を支配した。1125年に滅亡。

金　女真

女真族の完顔阿骨打が1115年に満州に建国。華北に支配を拡大し、二重統治体制を敷いた。華北支配を続けるうちに漢化。1234年に滅亡。

元　モンゴル

モンゴル族による征服王朝。1279年、南宋を滅ぼし中国を統一支配。1368年に滅亡。モンゴル族は中華を放棄してモンゴル高原にて北元を建国。次第に漢化。

清　女真（満州族）

かつて金を建国した女真による征服王朝。ヌルハチが1616年に後金を建国し、1636年にホンタイジが国号を清とした。1911年に勃発した辛亥革命により、翌年倒れる。

始皇帝の皇帝行動

征服
▼
六国
韓 魏 趙
斉 燕 楚

新称号考案
皇帝
▼
始皇帝自称
帝位世襲

ブレーン

▼
李斯
法家思想

異民族討伐
▼
匈奴（きょうど）
▼
万里の長城建設

統治体制
▼
郡県制
国号・王号の廃止

思想統制
▼
焚書（ふんしょ）**・坑儒**（こうじゅ）

権威誇示
▼
咸陽城（かんようじょう）

外征・支配
▼
南越
▼
南海郡（現在の広東）
桂林郡（けいりん）**（広西地方）**
象郡（しょう）**（ベトナム北部）**

統一事業
▼
貨幣
度量衡
文字

交通網整備
▼
馳道（ちどう）

習近平の皇帝行動

少数民族支配
▼
教化・浄化

スローガン
民族の
偉大なる
復興

党内粛清
▼
腐敗摘発運動

経済支配
▼
一帯一路

企業統制
▼
共同富裕

指導体制
集団的指導体制
▼
個人独裁強化

現状変更
▼
南シナ海の
軍事拠点化
▼
尖閣諸島への干渉

国民統制
▼
国家安全法

国家主席
任期制限
▼
撤廃

3期15年
▼
終身独裁

感染症対策
▼
都市封鎖
▼
白紙革命

一国二制度破棄
▼
香港国家
安全維持法
▼
台湾

皇帝政治がもたらす民衆の反乱

政治体制以外での「王の時代」と「皇帝の時代」との相違にはどういうものがあるのか。

ここでまず、世の中の歴史学者が誰も言及したことのない、ひとつの興味深い違いを指摘しておこう。

それはすなわち、王の時代の中華では、王朝に対する民衆の大規模反乱は一度も発生しなかったことに対し、皇帝の時代においては、民衆による大規模な反乱の発生がむしろその歴史の付きものとなり、中華帝国史を飾る「風物詩」となっているということである。

中華史上初めての民衆の大反乱は、実は秦の始皇帝が建てた秦王朝の統治下で起きた「陳勝・呉広の乱」。

この中華史上初めての民衆の反乱によって、同じく中華史上初めての中央集権の秦王朝が滅ぼされた。

言ってみれば、秦の始皇帝によって創建された「皇帝独裁の中央集権制」と「皇帝の時代」の始まりは、そのまま民衆の反乱とそれによる王朝崩壊の歴史の始まりでもあるのだ。

1912年、清帝国第12代にして最後の皇帝である愛新覚羅溥儀（あいしんかくらふぎ）が退位し、2000年以上続いてきた皇帝の時代は終わった。

しかし、その後も袁世凱（えんせいがい）という軍閥が洪憲帝を自称し、皇帝を目指したが失敗。そして毛沢東は儒教の代わりに共産主義のイデオロギーを駆使して事実上の皇帝になった。そして現在、習近平主席はまさに21世紀の新・皇帝政治を展開している。「白紙の乱」は革命には至らなかったが、ゼロコロナ政策は止まった。次なる反乱は何を契機にいつ勃発するのだろうか？

中華帝国と民衆反乱
秦 陳勝・呉広の乱 →王朝滅亡へ
漢 黄巾の乱 →王朝衰退へ
隋 楊玄感の反乱 以降全土に民衆反乱勃発 →武将・李淵（りえん）が挙兵して滅亡
唐 黄巣の乱 →王朝衰退へ
宋 宋江の乱
元 紅巾の乱 →王朝滅亡へ
明 李自成の乱
清 白蓮教徒の乱 太平天国の乱 義和団事件

中華思想の基本設定は華夷秩序

習近平主席の侵略的な覇権主義路線。その行動原理をひもとくうえで、ショッキングな結論から述べよう。

中華皇帝には〝侵略〟という概念も認識もない。

これは独特の世界観「中華思想」によるものだ。ご存じの方も多いだろうが、根本的な理解へ話を進めていこう。

この概念を〝中国がどこよりも偉い〟という考え方だと捉えている方も多いようだ。間違ってはいないが、それは本質ではない。どういうことか？

端的に言えば〝中国しか存在しない〟ということである。

つまり、他の国と比べて中国が優れているということではないのだ。日本人も西洋人もそこを誤解してしまう場合が多い。至極当然である。「中華と呼ばれる自分たちの地域、あるいは文明、そこ以外には国も存在しなければ、文明も存在しない」というトンデモ発想など想像もつかないからだ。

中華の世界は中華皇帝が定めた都（首都）、つまり長安だったり、北京だったり、そこを世界の中心として同心円的に周辺に拡大していく構造だ。

この世界観においては、都に近いところほど文明度が高い。そして、外側に広がっていけばいくほど、つまり中華文明から遠くなるほど文明度は低くなる。

たとえば、朝鮮半島は日本列島より中華文明の中心に近い。中国からのランク付けも、日本のほうが文明度は低いことになる。

中華世界の住人たちは「化外の地」に住む諸民族を呼称するのに、昔から東夷・西戎・南蛮・北狄という用語を好んで使っていたが、夷・戎・蛮・狄は語源を辿れば全部、獣や虫を指す言葉である。

つまり中華世界の住人たちからすれば、自分たちの周辺で暮らしている諸民族は、いまだに文明化されていない獣同然の「野蛮人」なのである。

これを「華夷秩序」という。中国の王朝を世界の中心に位置づける中華思想に基づき、諸外国と結ばれた関係性のことだ。

もちろん、世界各地にはいろいろな民族や国があることは彼らも知っている。でもそれは辺境の蛮族であって、中華の文明人ではないのだ。

しかし、その核たる存在である中華皇帝は、辺境の蛮族に対して「あいつらは可哀

中華思想の基本設定
【華夷秩序】

中華王朝の皇帝（天子）を世界の中心に位置づける世界観。人間を「華」（漢人）と「夷」の２種類に分け、夷に対する華の優位性によって成立する概念。

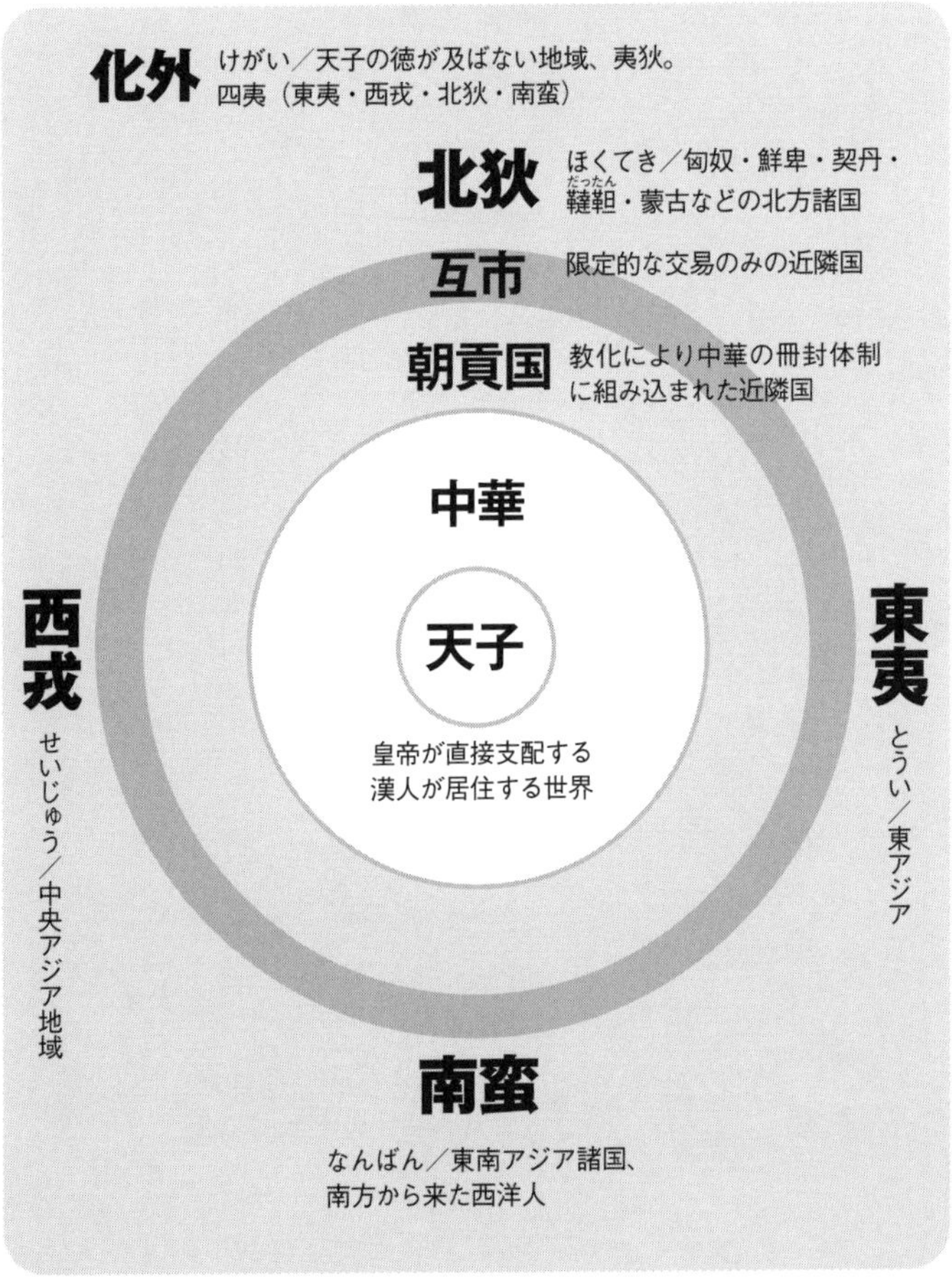

想だ」という思念がある。中華世界より辺鄙な地域に住んでいるがゆえに、中華文明の教化による恩恵をまだ受けていない「化外」の民なのである。

そして彼らはいずれ、中華文明からの影響、すなわち教化を受けて、文明化していくことになる。というよりもむしろ、偉大なる中華文明に教化されることによって、やがて文明化していくことが化外の民たちの運命なのである。

逆に言えば、周辺の化外の民を教化して、彼らを文明の世界すなわち中華文明の世界へと導くことが、中華世界の責務とされている。

そのなかでも特に、中華世界の頂点に立って中華文明を代表する「天子」としての皇帝は、自らの「徳」をもって周辺諸民族を教化して文明へと導くという大いなる使命を負っていると考えられた。ときに野蛮な民族が教化を拒否するが、そのときは征伐するのが正しいのである。

おとなしく従う者たちには朝貢を強要する朝貢外交を行う。貢ぎ物を持って頭を下げて「皇帝の家来です」と宣言する。そこで初めて地位が保証されるのだ。属国となったら王に就任しても、すぐには王と名乗れない。まずは中華皇帝の元に行き、お伺いを立てて許可を貰って初めて王を称することができるのだ。

いわゆる「冊封」で、李氏朝鮮が典型的である。朝鮮は、第3代太宗のときの1403年に明王朝の永楽帝から冊封を受け朝鮮王国として承認された。また明から伝えられた朱子学は、世襲官僚である両班の政治理念、生活規範として受容され、高麗王朝の仏教に代わって、李朝では儒教が国家の理念として重んじられた。

つまり、周辺の諸民族と国々に対して侵略行為と征服を繰り返して、周辺民族と国々を無理やり中華王朝の支配下に置こうとすることは、中華思想において「侵略」ではない。端からは侵略と見えようが、彼らにとっては侵略ではないのだ。

つまり、中華思想の世界観に基づけば、周辺の諸民族の住む土地はすべて皇帝の所有物であって、諸民族は皆、中華皇帝の臣民ということになる。

そして周辺民族を支配し、彼らからの「臣服」を受けることは、「天」から選ばれた「天子」であることの証明でもある。

逆に周辺民族の征服に失敗することは許されない。天子失格だからだ。高句麗の征服に失敗した隋王朝の煬帝が悪しき皇帝と評されているのがよい例だ。

ゆえに新王朝を立ち上げた皇帝の行動として、国内の統治基盤を固めたのち、周辺民族に対する覇権主義的征服・侵略行為を始めるのはお約束なのである。

前漢の武帝は、50年以上の自分の治世下で中国大陸の西部と隣接する周辺民族の匈奴に対して6回にわたる征服戦争を行った。南越（現在のベトナム）も滅ぼし、衛氏朝鮮も滅ぼして漢王朝の領土を拡大した。武帝は中華皇帝の中でも名君とされ歴史に名を刻んでいるが、その名声には周辺民族征服という「偉業」が必要不可欠なのだ。

満州人でありながら中国史上の偉大なる皇帝と評価されるのは、清王朝4代目皇帝の康熙帝である。

彼は台湾を征服して中華帝国に併合しただけでなく、チベットや蒙古にも遠征軍を送ってその一部を王朝の支配下に置いた。つまり、そもそも世界は皇帝のものだが、征服してそれを実証することも偉大なる皇帝の必須条件なのである。

ちなみに中華帝国以外の国は存在しないという認識の表れの最たる例が、清王朝の末期まで歴代王朝には国旗というものがなかったということだ。国旗とは他の国と区別するためのもの。そもそも他の国など存在しないという発想だから必要なかったのだ。当然、国歌もない。

清朝末期のアロー号戦争において英仏軍に叩きのめされ、清王朝は国際的な条約を結ぶことになった。条約儀式においては他国に合わせなければならず、国旗と国歌が必要になり中華帝国史上初の国旗が作られたというわけだ。

イギリス外交官であるマカートニーは、1793年に貿易関係改善を求めて熱河（ねっか）の離宮で乾隆（けんりゅう）帝に謁見（えっけん）した。しかし清王朝側は独自の世界観をくずさず、交渉は失敗した。マカートニーは表面上は対等の立場で通商を求めた。しかし、中華皇帝である乾隆帝の解釈は「朝貢しに来た蛮族」でしかない。

マカートニーはイギリスの文明の高さを示すさまざまな物を持ってきていた。通常なら「われわれはこんなに凄い技術があって、進んだ国から来た」ということで驚愕させるのは常套手段だ。

しかし、乾隆帝にとっては「辺境の者たちが、また貢ぎ物を持ってきた」ということでしかなかった。清王朝はあくまでマカートニーを従属国の朝貢使節として扱い、三跪九叩頭（さんききゅうこうとう）（3回跪（ひざまず）き、9回頭を下げる）の礼を求めた。しかしイギリス国王の使節としての誇りゆえに、彼はそれを受け入れることができなかった。

清王朝側は、「あいつらはまだ人間に進化していないから、膝が曲げられない、だから許してやろう」ということで、マカートニーにイギリス流に片膝をついて親書を奉呈することを許したのだった。

中国市場開拓に乗り出したイギリスは、1793年にマカートニー使節団を派遣し、制限貿易の撤廃を要求したが、乾隆帝は要求を拒否した。挿絵は熱河離宮にて乾隆帝と謁見するイギリス使節・マカートニー（ジェームズ・ギルレイ画）。
提供：akg-images/ アフロ

乾隆帝

清王朝第6代皇帝（在位1735～1795年）。自身が数度にわたって辺境に遠征を行い清朝の領土を最大に拡張したことで知られる。チベットとジュンガルを服属させ、東トルキスタンのウイグル人居住区全域を支配下にして「新疆（新しい領土の意）」とした。

三跪九叩頭の礼（さんききゅうこうとう）

清朝皇帝の前でとる臣下の礼。臣下が皇帝に対面するとき、3度ひざまずき、そのたびに3回ずつ頭を床につけ、合計9回床につけて拝礼する。叩頭とは額を地面に打ちつけて行う礼のこと。世界で最も屈辱的な礼と言われている。

華夷秩序に正当性を加味する天命思想

世界の中心にいる中華皇帝が最高権力者という設定が「華夷秩序」であると述べた。しかし、皇帝としての権威権力を行使するうえでは、まだ説得力が足りない。つまり、「なぜ、お前が皇帝なのか?」という問いに対する回答だ。

中華王朝の皇帝は「中華王朝」というひとつの国の皇帝ではなく、「天」に代わって「天下」を支配する最高主権者という位置づけなのだ。

天に代わって天下万民を支配する資格はどこにあるのか。

その皇帝の権威と権力を正当化するのが「天命思想」である。

儒教の世界観において、自然万物・森羅万象、人間世界のすべては天によって支配されている。天は唯一にして全知全能の神聖なる存在なのだ。

天は人間の世界から皇帝にふさわしい者を自分の「子」として選ぶ、すなわち「天子」である。天子は天から「天命」により支配権を委譲され人間世界を支配するのである。

こう聞くと、キリスト教やイスラム教のように一神教のようなイメージを持ってしまいがちだが、そのイメージは捨て去ってほしい。

儒教の世界観の「天」は、人間に語りかけることはしない。人間とは一切コミュニケーションをとらないのだ。もちろん、天子ともだ。

つまり、天下をとった覇者は、それで〝天命を受けた〟ことになる。

そして委譲された支配権は天命を下された皇帝本人だけでなく、その子孫にも受け継がれることになっているのだ。

このご都合主義の設定には続きがある。

天は天子に支配権の委譲を撤回することもできるのだ。何も語らない天がどうやって、支配権を剝奪するのかはご想像がつくだろう。

誰か別の人間が現在の皇帝を滅ぼし、新しい王朝を建てることがそれだ。

天はその覇者を〝新しい天子〟として認め、天下の支配権を譲ったことになる。本来、「革命」という言葉は、天が現皇帝から天命を回収して別の者に下す（命(めい)を革(あらた)める）ことを表しているのだ。

革命者視点に立てば、「我は天命によって選ばれ、現王朝を倒す」ということ。現皇帝を潰すことで、天は天命を革命者に移譲してくれるのだ。

とはいえ、革命にも大義名分は必要だ。

いわゆる「易姓革命」である。現在の天子の徳がなくなれば天命を受ける者が別の姓の天子に改まり変わるという意味だ。

異民族による漢民族王朝の侵略というケースは除き、中華における革命は大抵、王朝の失政によって天下が乱れたとき、誰かが反乱を起こして王朝を潰し、新しい王朝を立ち上げるという経過を辿る。

「天命思想」の設定上、革命による政権奪取は、天の意思による「易姓革命」の結果ということになるのだ。

天子である皇帝が愚か者でいいはずがないとする徳治主義

天が人間世界の支配権を委譲した特別な人間が愚か者でいいはずがない。その辻褄を合わせる設定が「徳治主義」と呼ばれる儒教思想である。

天が天子を選ぶとき、何をもってその資格があるとするのか。儒教の世界観では、その基準が「徳」である。天は天下万民のなかから最も徳のある者を選び、天下の支配を委ねるのだ。

「不徳の致すところ」という言葉がある。徳の足りなさが引き起こす失態のことだが、それは中華帝国では、皇帝にだけ許された台詞だった。

つまり、皇帝に人格保証をするのが「徳治主義」の設定ということだ。革命の成功者は、その時点で〝徳がある素晴らしい皇帝〟ということになる。

しかし残念ながら、反乱を起こして前王朝を潰し、自らが皇帝となった人間が徳のある人格者だった例は中華の歴史においてほとんどない。

そもそも、戦乱を勝ち抜いて天下をとるには手段など選んではいられない。漢の高祖・劉邦のように、ならず者からのし上がって皇帝となったケースが多いのである。

しかし、どんなならず者であっても、汚い手段、悪辣な方法をとったとしても、天下をとってしまえば、それは天命であり、ならず者も天子であり、徳のある人物として認定されるのだ。儒教の世界観は皇帝の政治支配を正当化するための欺瞞(ぎまん)でしかないのだ。ゆえに王朝の御用思想として2000年以上の間、その歪(いびつ)な思想体系を発展させてきたのである。

もちろん、徳治主義にも利点はある。王朝の創始者がならず者であろうと、悪鬼のような者であろうと、王朝が安定期に入ると、徳治主義の考え方は、皇帝の統治をまともな方向に導くことにも機能するのだ。

そもそも皇帝にとって天下万民は支配・収奪・統制の対象だが、悪政が過ぎれば民衆は不平不満を持つ危険な存在になる。そしてそれは易姓革命が引き起こされる理由にもなるのだ。

ゆえに、皇帝は自分が徳のある皇帝、すなわち「聖君」であることを、その治政で証明しなければならない。建前上でも善政を行わなければならないし、飢饉や災害が起きたら徳のある皇帝は民を救済する責務があるのだ。

設定通りの皇帝はいるのか

民衆は常に新しい皇帝に期待する。つまり「聖君であってほしい」と願うのだ。

皇帝は大きく2種に分けられる。まずは「建国の皇帝」、もう一種は「2代目以降の皇帝」だ。建国の皇帝に善人であることは期待できない。前述したように善人であったら天下はとれない。

2代目以降の皇帝はどうだろうか。生まれつき特別な人なので大抵は甘やかされる。

中華皇帝の設定「中華思想」

儒教思想
国家統治のためのイデオロギー

中華思想

華夷秩序
中華王朝を世界の
中心に位置づける世界観

天命思想
皇帝の権威と権力の
正当性を担保する概念

徳治主義
天命によって選ばれた
天子（皇帝）には
中華世界を統治する
徳があるとする概念

易姓革命
天が天子（皇帝）を
交代させるための仕組み

徳をもって万民を治める人格に育つ期待は薄い。

それもあって、２０００年を超える皇帝の時代でも名君と呼ばれる皇帝は数人である。先述の前漢の武帝や清の康熙帝のほか、後漢の創始者・光武帝（劉秀）、唐を実質的に建国した2代目の太宗（李世民）、宋の創始者である趙匡胤などが一般的に名君と呼ばれている。どれも安定した治政、そして周辺民族に対する覇権主義的征服・侵略行為を成し遂げた皇帝だ。

２０００年で数人とはあまりにも少ない。しかもたまたま出現したというだけなのだ。

民衆には名君が出現する保証がどこにもないのである。とはいえ民衆は安定した治政を行ってくれる賢明な皇帝が出現することにすべてを託す以外にない。

大抵が滅茶苦茶、わがまま、愚か、天下万民をなんとも思わない所業。歴史的に大半の時間、民衆はそういう愚帝に翻弄されてきた。名君とされている太宗でさえ、玄武門の変などでは滅茶苦茶なこともやっている。

となると、多少マシな皇帝なら民にとっては万々歳というところなのだ。要するに、善い心持ちをもって、人民を導く皇帝など幻想ということである。

明王朝の時代、万暦帝（ばんれき）という皇帝がいた。日本の豊臣秀吉が引き起こした朝鮮の役においては、宗主国として朝鮮を援助した皇帝である。

彼は幼くして（10歳）即位し、宰相として張居正という男が付いた。

万暦帝は即位する前から張居正の指導を受けており、張居正は幼い頃から皇太子（万暦帝）に儒教の理念・理想、君主としての心得を教え込んだ。厳格な先生で、時には皇太子を面罵することもあったという。そして、そのときは皇太子も聡明利発で、将来の大器と目されていた。

万暦帝の治政の最初の10年は、張居正が実権を揮（ふる）い逼迫した国庫の財政再建にあたり大きな成果を上げた。しかし、張居正が没したとたん、万暦帝のたがが外れてしまう。張居正の教えと逆の政治を行い始めたのだ。張居正が誠心誠意叩き込んだ儒教の理念、天下の聖君たるべき教えは霧散した。滅茶苦茶な政治をやっても誰も止められない、止めたらその場で殺されるからだ。

後半生では25年にわたって後宮にこもり、朝政の場にはまったく姿を現さなかったという。万暦帝の治政は、その後の明王朝崩壊の原因となったのは言うまでもない。

皇帝政治と共にあり続けた統治イデオロギー

ここまで中華皇帝の有り様を「設定」という視点で見てきた。この設定の根本には統治イデオロギーである儒教思想がある。この儒教がいつ、どうやって編み出されたのか。時代は紀元前に遡る。

春秋時代の終わりから戦国時代、戦国七雄が覇権を争っていた頃だ。当時、「諸子百家」と呼ばれる思想家たちが活躍した。儒家（孔子、孟子、荀子）、法家（韓非子）墨家（墨子）、道家（老子、荘子）など、日本人にとっても馴染み深い思想家たちだ。

孔子の教えをまとめた『論語』は、われわれの人生にとって有意義な善の書であることは間違いない。内容は孔子の死後、彼の身近にいた門人たちが、師が生前に発した言葉、自分たちと師との対話、あるいは孔子生前のエピソードなどをひとつひとつ拾ってきてまとめた孔子の言行録である。

そこに記述されている孔子の発言や対話のエピソードは概して短い文章であって、それがいつ、どこで発せられた言葉なのか、対話なのかは不明であることが多い。

構成的には、それが整理されることもなく、無造作に羅列されていると言っていい。善き書ではあるが、孔子の見解をきちんとまとめて体系的に仕上げられた思想書の体裁ではないのである。

儒教が成立したのはいつなのか。それに関しては諸説あるが、有力な説のひとつに「漢代成立説」がある。儒学者の董仲舒（とうちゅうじょ）の働きかけにより前漢の武帝（第７代皇帝）は儒家のみを尊重する路線をとり、儒学は漢の正式の官学、国教とされた。

孔子の死去から数えると３００年以上経っている。孔子および『論語』の時代とは時間的な隔たりが大きすぎるのはおわかりだろう。

隔たりは、時間軸だけではない。実は孔子の生きた中国史上の春秋時代と、儒教が教学として成立した前漢時代は政治体制も社会の仕組みも完全に違うのである。

そう、孔子が生きていた春秋時代は「王の時代」であって封建制時代である。そして孔子自身が政治制度として推奨しているのは周王朝の封建制度なのだ。漢帝国の「皇帝の時代」には適用できるものではない。

武帝は郡県制の施行など、中央集権化による帝国支配の安定強化に力を注ぐ必要があった。その統治理念として儒教を採用したのは、孔子没後３００年以上を経た儒教が政治権力を正当化するような性格を持っていたからだ。

それは春秋時代の孔子の教えではなく、『論語』の余白を自らの思想で埋めていった戦国時代の儒家である孟子と荀子の影響下にあると言っていいだろう。

つまり儒教は、孔子の教えとはほとんど関係のないところで皇帝独裁による中央集権制を肯定するための教学に変質していたのである。前漢王朝の武帝から後漢王朝崩壊までの約350年間、儒教は隆盛を極めるが、後漢が消滅してからは魏・呉・蜀の三国が鼎立（ていりつ）する分裂と内戦の時代には低迷することになる。

280年に西晋王朝が中華を統一したが、内乱によって316年に崩壊。中華は再び分裂状態となり南北朝の時代となる。中国の北部は「五胡」と呼ばれる異民族によって統治され、南部は漢民族中心の王朝（南朝）が支配した。

隋王朝が南朝の陳王朝を滅ぼして中国を再び統一したのは589年、つまり西晋王朝の短い統一時代を挟んで300年以上、中華はずっと分裂と戦乱の時代だったのである。その間、儒教は国家の統治イデオロギーとして採用されてはいたが、安定した大帝国あってこその国家的イデオロギーである。国家の力が相対的に低下すると、儒教も勢力を失うのは御用教学の宿命だ。

隋唐の時代になっても状態は変わらず、国家的イデオロギーとしての地位を維持しているものの、中国の思想と学問を支配するような栄華からは遠かった。唐王朝の下では、隆盛を極めた仏教と道教、そして儒教が「三教」として王朝から保護と崇信を受けることになり、三大勢力として並立したのである。

人間性の抑圧を本領とする「悪の教学」として再生

パッとしなくなった儒教だが、その後、人間性の抑圧を本領とする〝悪の教学〟として新解釈と再解釈により変貌することになる。

それが「朱子学」と「礼教」である。朱子学（宋学）を生み出したのは朱熹。南宋の儒学者である。『太極図説』で知られる北宋の周敦頤や二程（北宋時代の儒学者。程顥・程頤の兄弟のこと）の学を受け継ぎ、儒学を新解釈で集大成する朱子学を打ち立て、一般民衆を統制していくための新儒教「礼教」を生み出した。

朱子学の中心概念は「理」である。理とは天地万物の生成・存立の根源。「理」を基本原理とすることから、朱子学は別名「理学」とも呼ばれる。

もうひとつの重要な概念が「気」である。気というのは天地万物を構成する微粒子状の物質的なもので、この宇宙に充満しているという。そして「気」が陰陽変化によって金・木・水・火・土の五行（ごぎょう）となって万物を形作っていく。

もちろん理だけがあっても、気だけがあっても天地万物は生じてこない。理というのは存在物を存在物たらしめる形而上的原理であり、気とは物を作る形而下的な材料である。森羅万象のすべての存在はまさに〝理と気〟によって形成されているというロジックだ。この存在論的な考え方は、「理気二元論」と呼ばれる。朱子学は、この理気二元論で宇宙生成や天変地異についても独自に理論化している。

朱子学では人間も万物と同様、理と気の両方によって形成されている。気が集まって形作られたのが肉体であり、理は精神（朱子学的には「性」と表現）である。ある意味では、儒学の先駆者である孟子の「性善説」の継承でもある。というのは、天地万物の基本原理であり、最高の善でもある理が、そのまま人間の心の中に「性」として宿っているのであれば、すべての人間はもともと、この最高の善を自分の心の中に持っている、ということになるからである。

人間の心のあり方の説明に関して、朱子学が打ち出したのは、「本然（ほんぜん）の性」と「気質の性」という対概念である。

「本然の性」：人間の心の中に宿っている「理」そのものであり、純粋なる至善（しぜん）

「気質の性」：「情」と「人欲」

人間が心の中に宿している理は肉体の気と一体となっているため、純粋な状態で存在していない。気質の性が外物と接触し「情」と「人欲」が生じ、人間の「本然の性」を曇らせることで、人間は理性を失って衝動的な行動に出たり、善を忘れて悪に走ったりする。つまり、人間が節度のない行動をとるのも、悪に走ってしまうのも、全部、「本然の性」から離れて「気質の性」に身を任せたことの結果であるというのだ。

朱子学的倫理学の大きな問題は〝いったいどうすれば人は「気質の性」から離れて「本然の性」に近づくことができるのか〟ということだ。

その修行方法のひとつが「格物致知（かくぶつちち）」である。理は人間だけでなく天地万物の中に等しく宿っているので、天地万物を観察・研究してその中に宿っている理を極めることができれば、自分の心の中の理を再発見・再認識でき、「本然の性」に立ち返ることができるというもの。

もうひとつの修行方法は「持敬（じけい）」である。畏敬の念や慎みの態度を持って心の中の静止状態を保ち、気質の性がむやみに動きだすのを未然に防ぐというものだ。

この「持敬」という修養法は、北宋時代の周敦頤が唱えた「主静無欲」の焼き直しであり、周敦頤の「主静無欲」ももとは仏教からの引用である。

朱熹自身がよく参禅していたことは知られているが、結局「新儒学」と言いつつも、その肝心なところは、仏教理論の二番煎じだったりするのである。

しかし考えてみてほしい。これらの修行を実行できるのは一部の知的エリートだけである。一般庶民には「格物致知」や「持敬」を実践する余裕はない。

当時、一般庶民に浸透して勢力を拡大していた仏教と道教、それにいかに対応するかが儒教の大きな課題であった。そこで朱子学が目指すのは〝万民に対する導き〟である。社会全体と一般民衆を儒教というイデオロギーによって統制していくために朱子学が提唱したのは「礼教社会」の実現だ。「礼」とは礼節と道徳規範のことである。

つまり、礼節と道徳規範をもって庶民を教化し、彼らの行動を規制して彼らの心を「本然の性」に目覚めさせ、そこに立ち返らせるということ。その典型的なスローガンが「存天理、滅人欲」（天理を存し、人欲を滅ぼす）である。「礼教」で民衆に礼節と規範を与えることで、民衆の発する「情」を正しく規制し、「人欲」を封じ込める——要するに、窮屈な管理社会ということだ。

朱子学は朱熹の死後に、南宋の正統教学となったが、南宋が異民族である元の侵攻によって滅び、中華は元朝によって支配されることとなる。科挙は中断されることとなったが、元朝は次第に漢文化に傾斜していき、１３１３年に科挙を再開する。このとき儒教経典の解釈に朱子学が採用され、朱子学は国家的教学の地位を得る。

その後の明王朝とそれに続く清王朝において、朱子学によって再整備された儒教は再び国家的イデオロギーとしての独占的な地位を取り戻す。朝鮮、および日本に伝わり、朝鮮においては両班の政治理念・生活規範として定着。日本においては江戸幕府が封建制度を確固たるものにするための学問（官学）として利用した。

朱熹による新しい理論で武装された儒教は明・清王朝で５００年以上にわたり、共産主義に取って代わられるまで、中華の思想と学問だけでなく、社会を支配していくことになるのである。

皇帝の時代の終焉

「皇帝の時代」が終焉を迎えたのは、1912年のことである。前年の1911年に勃発した「辛亥革命」によって清王朝は崩壊し、「皇帝」に代わって「中華民国総統」という統治者が登場したのだ。

軍内部での反乱の発生が王朝崩壊の直接的な要因だが、背景には孫文が海外を拠点にして起こした王朝転覆の革命運動がある。

孫文たちは東京で「中国同盟会」という革命組織を結成し、「民族の独立・民権の伸張・民生の安定」の三民主義と、「駆除韃虜（たつりょ）・恢復（かいふく）中華・創立民国・平均地権」という四大綱領を掲げた。「中国同盟会」が目指したのは近代国家建設のための革命、そして満州族を駆逐して「中華」を回復させるための民族革命でもあった。

そんな折、清の鉄道国有法に反対して四川地方で「保路運動」が勃発した。政府は武漢駐屯軍に出動命令を出したが、武漢軍の中核をなす新軍（新建陸軍の略称。清朝が新たに編成した西洋式陸軍）には革命支持派が多く、革命支持派が反旗を翻し武装蜂起して武昌を占領したのがいわゆる「武昌蜂起」である。

この報せは全国に伝わり各地で革命派が蜂起し、翌月までに13の省が相次いで清朝からの独立を宣言した。

そして12月下旬、独立した各省の代表が南京に集まり、清王朝に代わる新しい国家の建国について協議し、武昌蜂起後に急いで帰国した孫文が新国家の臨時大統領に選ばれた。そして年明けの1912年1月1日、孫文は南京で中華民国の建国を宣言すると同時に、臨時大統領に就任し、中華史上初めての共和国が誕生したのである。

中華史上初めての共和国

清王朝は武昌蜂起の直後から革命軍と対峙したが、ある軍人のとんでもない裏切りによって皇帝が退位し、王朝が崩壊する。

その軍人とは清王朝の新軍の総司令官である袁世凱。袁世凱は自らの手で清王朝に引導を渡す一方、それと引き換えに南京で誕生した新政府を乗っ取ったのだ。

彼は王朝軍を武昌・南京へ差し向けて革命軍と南京新政府に軍事的恫喝を行う一方、主である清王朝朝廷に対しても脅しをかけたのである。清王朝皇帝の退位に伴い、孫文は中華民国臨時大統領の椅子を袁世凱に譲ったが、中華民国の実権を握った袁世凱は孫文ら革命元老を駆逐し、正式に大総統に就任した。その翌年には中華民国約法を新たに制定し独裁体制の強化を図ったのである。

１９１４年には第１次世界大戦が勃発し、日本がドイツ基地のある青島(チンタオ)を占領。袁世凱政府は日本の大隈重信内閣から五項と二十一条からなる「二十一カ条の要求」を突きつけられる。日本は１９１５年5月7日、中華民国政府にとって到底受け入れられない第五項を削除した形で最後通牒を突きつけ、袁世凱は5月9日に受諾。しかしこれにより政権は民衆の反発を買うことになる。国内では激しい反日運動が各地で繰り広げられることになったのだ。

皇帝の復活

外交だけでなく内政面でも苦境に立つ袁世凱は、自分の権力を完全なものにするには「皇帝」になることが必要と考えていた。その帝政復活に便乗しようとした勢力が袁世凱を後押しした。１９１５年12月12日、袁世凱は「天命」を受けたとして中華民

袁世凱

えん せいがい

（1859-1916）

清王朝・宣統帝時代の第２代内閣総理大臣、湖広総督。清王朝崩壊後は中華民国（臨時政府）第２代臨時大総統を経て初代中華民国大総統に就任。1915年、袁世凱の意を受けた側近の楊度（ようど）が袁世凱の皇帝即位運動を開始。国民会議は満票で袁世凱を皇帝に推戴（すいたい）し、12月12日に「天命」を受けたとして新王朝「中華帝国」の樹立を宣言。自ら皇帝になるとともに1916年より年号を洪憲にすると発表。しかし激しい反発により同年３月に帝政の取り消しを宣言。６月６日に死亡。享年58。

提供：アフロ

国に取って代わる「中華帝国」の建国を宣言し、自ら皇帝として即位したのである。

　清王朝皇帝の退位から4年後、中華に新しい皇帝が復活したのだ。しかし、袁世凱の皇帝政治の復活と即位は、革命派や新軍の将校から猛烈な反発を招いた。それは袁世凱による個人独裁体制が磐石となるだけでなく、皇帝政治の必然として次期皇帝は世襲となるからだ。袁世凱にはその反発をねじ伏せる権威と権力はなく、中華帝国には西欧列強の干渉をはねのける国力もなかった。

「第三革命」と呼ばれる帝政反対をかかげた軍事蜂起により袁世凱は即位からわずか83日後に退位し、1916年6月6日に病死してしまうのである。

　それからは、公然と帝政復活を叫んで「皇帝」を名乗ろうとする人物が再び現れることはなかった。

　しかし、統治イデオロギーを儒教から共産主義に替えて中華を支配した毛沢東、そして鄧小平以来の改革開放路線・集団的指導体制を捨てて個人独裁体制を推進する習近平国家主席の行動原理は〝実質上の皇帝〟であることは疑いようもない。

第3章 皇帝の外交

隣国を悪魔の国に仕立てる

皇帝外交の起源

習近平政権の外交は「戦狼外交」「狂犬外交」などと呼ばれているが、これはまさに覇権主義であり、「皇帝外交」を矮小化（わいしょうか）した言い換えにすぎないことは、ここまで読み進めてこられたならお察しいただけただろう。

本章では中国共産党がどのような外交、国際戦略を展開してきたのかを遡りつつ、日本に対してはどのようなスタンスで外交を重ねてきたのかも見ていこう。そして最新の状況にも触れていきたい。

中国共産党の外交パターンを俯瞰するうえで役立つのが、中国史における「戦国時代」を知ることだ。つまり、後に初の中華皇帝となる秦王の覇権主義的拡張に近現代へのヒントがあるのだ。

諸説あるが、戦国時代は紀元前5世紀から秦が中華統一する紀元前221年の間だ。戦国時代、中国大陸では7つの国が並立して生存競争をしていた。秦（しん）・楚（そ）・斉（せい）・燕（えん）・趙（ちょう）・魏（ぎ）・韓（かん）、戦国七雄と呼ばれている。秦を除いた6カ国は「六国（りっこく）」と称される。

戦国時代（前４世紀末）の戦国七雄。

秦……紀元前２２１年に史上初めて中国を統一。紀元前２０６年に滅亡。

楚……周時代から存在し、広大な領土を保有。紀元前２２３年に滅亡。

斉……紀元前３８６年建国。田斉（でんせい）とも称す。紀元前２２１年に滅亡。

燕……周時代から存在し、春秋十二列国のひとつ。紀元前２２２年に滅亡。

趙……春秋時代の晋の領土から独立。紀元前２２２年滅亡。

魏……春秋時代の晋の領土から独立。紀元前２２５年滅亡。

韓……春秋時代の晋の領土から独立。紀元前２３０年、七雄で最初に滅亡。

戦国時代、戦国七雄のなかでも最強の軍事大国であった秦は虎視眈々と他国の侵略・併合を狙っていた。そこで秦以外の六国は連携して秦からの侵略に対抗することにしたのである。これを「**合従**（**合従策**）」という。戦国時代の縦横家である「蘇秦」が説いた策で、従は縦の意味で、縦すなわち南北。つまり南北に連なる六国が団結して西方の秦に対抗するという意味である。

蘇秦は燕と趙の同盟を成立させたのち、残りの国の王を説いて六国の同盟を実現させ、秦に六国同盟の約定書を送ることで、秦の東方進出をしばらく抑えたのだ。

もちろん、秦も手をこまねいたままではない。

六国の連携を崩す離間策を講じたのは秦に仕える縦横家の張儀だ。合従策は蘇秦の口先で成立しているにすぎず、それに国の運命をゆだねるのは危険である。秦と組んで近隣国に備えるのが得策である——と、「**連衡**（**連衡策**）」をもって各国を個別で説いてまわったのだった。この2つの戦国時代の外交策を併せて「**合従連衡**」という。転じて、状況に応じて各勢力が結び、また離れるさまを示す故事成語となった。

戦国時代の終盤、秦は六国を次から次へと攻め滅ぼしたが、一度に数カ国を攻めることはしない。他の国々と友好関係を保ちながら、ひとつの国に力を集中して攻撃す

中華統一後、秦の支配が最大になった頃の国土。

る「**各個撃破**」の戦略をとった。さらに各個撃破の際は、遠い国と親交を結び最も近い国から攻め始めた。この戦術は「**遠交近攻**」と称し、〝遠きに交はり近きを攻む〟と読みくだす。この時代、同盟は隣接国と結ぶのが定番。なぜなら距離の離れた国とは綿密な連絡がとりづらいからである。

しかし、遠い国と手を結ぶことで、背後からの牽制や両者で挟み撃ちにして攻めることが可能となる新発想だったのだ。

「遠くにいる斉や燕と誼（よしみ）を結び国境を接している韓、魏、趙や楚を攻めるべき」と秦王に提言したのは范雎（はんしょ）。秦王の信頼を得た范雎はそののち、秦の宰相を務めることになるのだった。

「合従連衡」で生き延びた毛沢東政権

ここからは近代に視点を移そう。毛沢東時代の中国はアジアで最も好戦的な覇権主義国家であった。共産主義革命の拡大を旗印に周辺国への侵略・拡張に精を出したのである。

- ●1950～53年、朝鮮半島に出兵し連合国と戦う。
- ●1950～70年代半ばまで、ベトナム共産党への支援としてベトナム戦争に介入。
- ●1962年、インドとの間で国境紛争を起こし、本格的国境戦争に発展。
- ●1969年、中ソ国境のウスリー川（黒竜江の支流）の珍宝島で両国が軍事衝突。

そんな毛沢東の外交は、戦国時代の故事に由来する「**合従連衡**」の策を講じることで、国際社会で生き延びることができたと言っていい。

毛沢東は1950年2月、ソ連と「中ソ友好同盟条約」を締結し、軍事同盟の関係を構築した。この条約の仮想敵国は「日本軍国主義とその同盟者」である。

この条約の下で同年10月には人民義勇軍を朝鮮戦争に参戦させ、アメリカを中心とした国連軍と戦った。ソ連と同盟関係を結び、社会主義陣営に身を置いて、米国および西側陣営と対立する「連ソ抗米」路線をとったのだ。まさにこれは毛沢東流の「**合従連衡**」である。だが１９５０年代後半から、状況は次第に変わっていった。

共産主義国家陣営内の主導権争いで、毛沢東政権はソ連共産党とケンカを開始したのである。毛沢東はフルシチョフ政権のとった平和共存路線を、資本主義やアメリカに屈服するものとして強く反発したのだ。

１９５９年にはソ連から中ソ技術協定を破棄され、同盟関係は事実上解消した。結果、中国はソ連を盟主とする共産主義国家陣営からも当然「破門」となり、追い出された。

さらに１９６９年の珍宝島事件など中ソ国境紛争が頻発し、両国関係は最悪の事態を迎えたのだ。つまり中国は、よりによって米ソという当時の世界二大強国の両方と敵対関係になってしまったということだ。そして西側陣営と共産主義国家陣営の両方から排斥され、まさに世界の孤児となった。

孤立した中国は１９７２年2月、米国ニクソン大統領の訪中を実現させた。「**合従連衡**」の相手として、今度はアメリカに擦り寄ったのだ。

1969年、中ソ国境紛争。
写真：TASS/アフロ

もちろん、アメリカにも、中国に接近して強敵のソ連を牽制しようとする戦略的意図があったため、双方の思惑が一致して両国間関係は改善の方向に動きだした。

これで中国は、米ソ両大国と敵対する危険な状況から脱出したが、アメリカとの国交樹立までには至っていない。さすがにアメリカは民主主義陣営の盟主として、共産主義国家・中国との国交樹立というカードを切る気はなかったのだ。

中国共産党は「連ソ抗米」から「連米抗ソ」へと戦略を転換し、この後さらに日本と国交を結び、日米同盟に接近してソ連を牽制するようになる。毛沢東は「**合従連衡**」の相手を替えることで生き延びたのだ。

「韜光養晦」戦略の鄧小平政権

毛沢東の死去後、１９７０年代末から中国共産党の実権を握ることになった鄧小平は「改革開放政策」を打ち出し、外交においては実利外交を推し進めたことで知られている。中国共産党が野心や野望を覆い隠して隠忍自重した時代である。

鄧小平が打ち出した中国の外交・安保の方針は「韜光養晦（とうこうようかい）」。すなわち「才能を隠して、内に力を蓄える」という意味である。

鄧小平は「韜光養晦」戦略の下で、覇権主義的拡張をしばらく控えめにして欧米・日本および周辺国と良好な関係を構築。さらに解放政策の実施により、欧米・日本から技術と資金を導入して中国の近代化と経済発展を推し進めた。欧米・日本は競って中国を支援。経済成長と大国化に手を貸した。その結果、中国経済は成長を続ける。

こうしたなかでも鄧小平は、ベトナムに対して「懲罰戦争（１９７９）」を発動するほか、英国サッチャー政権と交渉し、１９９７年をもって香港の主権を中国に返還することを約束させた（１９８４年の中英共同声明）。「韜光養晦」戦略をとりつつも、来たるべき覇権主義路線推進への布石はしっかりと打っていたのだ。

「各個撃破」で中華帝国の拡張を進める習近平政権

2012年に成立した習近平政権は鄧小平以来の「韜光養晦」戦略を捨て、「民族復興（＝中華民族の偉大なる復興）」をスローガンとして掲げた。世界第2位の経済大国になった今、もはや野心や野望を覆い隠して隠忍自重したりはしないということだ。民族復興戦略の大きな柱は3つ。

①アジア全体の支配（華夷秩序の再建）。
②一帯一路による広範囲な中華経済圏の構築（経済版華夷秩序）。
③アメリカに取って代わって世界の頂点に立つ。

習近平政権の2期10年を見ればわかるが、戦国時代の秦よろしく**「各個撃破」**で中華帝国の拡張を進めている。すでに南シナ海の軍事支配、香港支配を完遂した。

3期目で目標達成を目指すのは、台湾併合、インド太平洋地域からの米軍の追い出し。そして4期目で目指すのは尖閣・沖縄の強奪、日本の事実上の属国化、そして東アジア・東南アジア・中央アジアを含めアジア全体における「華夷秩序」の再建だ。

つまり、中華が名実ともに世界の頂点に立つということだ。

【民族復興】

中華民族の偉大なる復興

中華帝国の往時の栄光と覇権的地位を取り戻すことによって
「華夷秩序」を再建して世界の頂点に立つ。

【民族復興戦略の大きな柱】

①アジア全体の支配
（華夷秩序の再建）

②一帯一路の推進
（広範囲な中華経済圏の構築）

③世界の頂点への君臨
（アメリカとの交代）

【各個撃破の個別目標】

①南シナ海軍事支配の完遂
②香港支配の完遂
③台湾併合戦略の完遂
④インド太平洋地域からの米軍の追い出し
⑤尖閣・沖縄の強奪、日本の事実上の属国化
⑥アジア全体における「華夷秩序」の再建

今までの２期10年において①と②はすでに完遂。
３期目では③と④の目標達成を目指す。
４期目においては⑤と⑥を目指すのは既成方針だ。

中国共産党は日本にどう対峙してきたのか

ここからは、中国共産党が外交でどう日本に対峙してきたかについて見ていこう。

昨年、２０２２年は日中国交正常化50周年の年であった。９月25日が日中国交正常化の記念日ということなのだが、この日は中国の欺瞞を再認識する日として捉えるべきだろう。

日本は中国共産党政権が成立した１９４９年から１９７２年までの23年間、共産党統治下の中華人民共和国と西側陣営に属している日本は対立関係であり、ほとんど無交渉、国交断絶状態であった。

その時代、日本は中華人民共和国を国家として認めておらず、国交を結んでいたのは台湾の中華民国のほうである。20数年間、中華人民共和国と外交関係がなかったのは日本にとって決して悪くはなく、むしろ幸いだった。

前述したが、１９７０年代初頭の東西冷戦下において、中華人民共和国は西側と激しく対立しながらも、ソ連を中心とした東側陣営からも破門され、完全孤立の状況となっていた。この孤立状態からの脱却のため、１９７２年にニクソン米大統領を北京に招き、米国への接近を図るとともに、同年9月に田中角栄首相を訪中に誘い出して、わずか数日間の交渉で一気に国交を樹立したのである。

そのために中国政府は日本に対して「日本に対する戦争賠償要求の放棄」と「日米安保条約の容認」という好条件を日本に差し出し、国交を樹立しようという話になった。

しかし、後から考えてみれば、この2つの条件というのは、最初から虚構であって、日本にとって何の意味もなく、何のメリットもなかったのである。

まず、日中戦争における日本の交戦国は当時の中華民国であって、中国共産党の作った中華人民共和国ではない。したがって、日本が中国に対して何か戦争賠償の義務があるとしても、それは中華民国に対するものであって、中華人民共和国に対する賠償責任は最初からない。つまり、中華人民共和国にはそもそも日本に戦争賠償を求める権利はない。ないものを「放棄」というのは、ただの欺瞞である。

いわゆる日米安保条約の容認というのも同様。日米安保条約というのは、アメリカと日本との間のものであって、中国には一切関係ない。中国が「容認する」とか「容認しない」とかいう問題ではないのである。

日本に対して意味のない条件を出して、日本を誘い出すというのは、相互の国交正

1978年10月に来日した鄧小平。日産自動車の製造ラインを見学している様子。
写真：AP/アフロ

常化ではなく、中国共産党の利得のための国交樹立でしかなかった。言うなれば、中国共産党による日本利用と日本叩きの始まりの日だったということだ。

1980年代になると「日中友好」の甘言で日本から資金と技術をむしり取る動きが活発化したのは、鄧小平が瀕死状態の中国経済を立て直すことを急務としていたためだ。

ゆえに毛沢東時代とは方針転換し、改革開放政策を推進したのだ。その戦略のひとつが、先進国から技術と資金を導入して中国経済成長の起爆剤にすること。鄧小平がまず目をつけたのが、技術大国にして経済大国の日本というわけだ。

そのため、「日中友好」という心にもないスローガンを押し出して、日本の政財界、国民を籠絡する戦略をとった。１９７8年8月に「日中友好平和条約」を締結し、同年の10月、正確には10月22日から29日までの８日間、鄧小平は中華人民共和国の実質上の最高指導者（当時副首相）として初めて日本を訪問。

そこで「日中国交正常化交渉でも、今回の日中平和友好条約批准でも、この問題（尖閣諸島）に触れないことを約束した。こういう問題は一時棚上げしてもかまわない」と「尖閣問題」の棚上げを表明した。

福田赳夫（たけお）首相との会談では「われわれの世代では知恵が足らなくて解決できないかもしれないが、次の世代は、われわれよりもっと知恵があり、この問題（尖閣諸島）を解決できるだろう」と発言した。

尖閣諸島を実効支配する日本は、「日中間に領有権問題は存在しない」という立場だったが、中国には日本に領有権問題の存在を認めさせ、領有に向けて既成事実を積み重ねる思惑があったのである。

日本政府は波風を立てない意味で、鄧小平の発言について否定も反論もせず、無視を決め込んだ。その結果、そこにつけ込み、中国は「棚上げ」どころか、実力行使の現状変更を推進してきた。

鄧小平は日中に立ちふさがる歴史問題に関しても一切触れなかった。つまり、歴史問題も尖閣問題も避けて、日本のマスコミと国民の好感度アップに努めたのだ。

その結果、当時の日本政府と日本企業は「日中友好」という欺瞞に満ちた甘言と友好的態度にまんまと騙され、中国が喉から手が出るほど欲しかった技術と資金を鄧小平の懐に注ぎ込んでいったのだ。

中国はそれを利用して産業の近代化を図り、瀕死だった経済の立て直しにある程度成功し、その後の経済成長を軌道に乗せることできたのである。

日本に貢がせつつ屈服させる

しかし、鄧小平は日本からの経済援助を受けつつ、ついに歴史問題で日本叩きを開始したのだ。

1982年6月、当時の文部省（現在の文部科学省）が歴史教科書検定において、「華北侵略」という言葉が「華北進出」に改訂されたという報道が出た。この、「侵略」

を「進出」に改訂したという報道が出ただけで、中国政府はそれを外交問題にして日本に圧力をかけてきた。日本政府は中国の圧力に屈し、日本の歴史教科書の記述について「近隣国に配慮しなければならない」という近隣国条項を取り決めてしまった。

日本の教科書をどう作るか、これは日本の主権内の問題である。日本の教科書にどう記載するかについて、中国や近隣国に配慮しなければならないなんて、とんでもない話なのだ。これはもう主権の放棄と言ってもいい。残念ながら日本政府は中国政府の圧力に屈してしまった。

そして1985年8月15日、この終戦の日の出来事も再認識してほしい。

当時の首相の中曽根康弘氏が戦後政治の総決算をかけて、靖国神社を公式参拝した日のことだ。まず、これを朝日新聞が執拗に叩いた。そこで、中国政府は日本の内政であるこの件を政治問題化し、さまざまな手段で日本に圧力をかけてきた。その結果として、翌年中曽根氏は公式参拝を取りやめ、戦後政治の総決算という取り組みは頓挫した。中曽根氏は、公式参拝を続けると中国の友人である胡耀邦（こようほう）書記の立場が悪くなるので断念したとの趣旨を著書でも記しているが、当の胡耀邦は失脚してしまった。

この「日本を利用するときは思う存分利用し、叩くときはとことん叩く」という鄧

1992年10月に訪中した天皇陛下。
写真：AP/アフロ

小平が編み出した日本対処方法は、現在に至るまで中国共産党の対日外交の常套手段になった。貢がせて屈服させる、まさに第2章で解説した中華帝国の皇帝政治のやり方そのままなのである。

困ったときの日本利用

日中国交正常化以来の大きな外交行事が1992年の明仁天皇（現上皇）の訪中だ。これも、中国共産党の起死回生に日本が利用された出来事である。中国共産党が孤立から脱出するために行った対日工作の結果にすぎないのだ。

この時期、中国は国際社会から激しい

批判の嵐にさらされていた。

1989年6月の天安門事件において中国共産党は戦車部隊まで投入して、民主化を求める学生や市民たちに対して大規模の虐殺を断行したため、国際社会から激しい批判を受け、西側諸国から制裁され、またもや孤立していたのだ。

西側から制裁を受けた結果、海外からの投資は当然、完全にストップした。それによって1989年、1990年の成長率は4%台まで落ち込み、事実上のマイナス成長となった。このままでは、中国は国際社会から孤立し、経済の破綻を迎えるのは必定であった。この外交的孤立から突破口を開くために、またもや対日工作を企んだ。

中国は天安門事件の翌年1990年の11月、明仁天皇の即位の礼に外交担当の副首相である呉学謙を派遣。呉学謙は、与党自民党の要人や野党の要人たちと精力的に会談を行い、対日工作を進めた。その結果、呉学謙訪日の直後に日本政府は天安門事件後に凍結していた第3次円借款の再開を決めた。つまり日本は西側諸国のなかで中国に対する経済制裁を率先して解除したのだ。

さらに1992年4月、共産党総書記の江沢民が日本を訪れた。当時の宮澤喜一内閣を相手に天皇陛下の訪中を実現させるため大詰めの工作を行うためだ。それが成功

1992年4月に訪日した江沢民。
写真：Fujifotos/アフロ

して日中間史上初めて天皇陛下が中国を訪問することになったのだ。

では、この天皇陛下の訪中から江沢民と中国共産党政権が何を得たのか。

当時の中国外相であった銭其琛は引退後の2003年に『外交十記』という回顧録を出版したのだが、その中で「この時期の天皇訪中は西側の対中制裁を打破するうえで積極的な効果があり、その意義は明らかに中日両国関係の範囲を超えていた。（中略）この結果、欧州共同体（当時はEC）が同じように経済制裁を解除した」という趣旨のことを書いている。

1972年の国交正常化からの20年間、日本は中国に一方的に利用され、一方的に叩かれるという、実に歪で信じがたい関係であったのだ。

日本を悪魔の国に仕立てる異世界設定

１９８０年代後半から１９９０年代前半、中国は日本を利用して国際的孤立から脱出しつつ、なんと国内では反日教育に力を注いでいた。いわゆる「反日感情」というものを作り出した時代でもあるのだ。

ご存じだろうか、江沢民政権時代の反日教育は日本を「悪魔の国」に仕立て上げたのである。まさに異世界設定を捏造したのである。

江沢民政権の反日教育の背景にもまた、あの１９８９年6月に起きた天安門事件がある。学生運動に対する「血の鎮圧」によって中国共産党政権はとりあえず難局を乗り越え、国内の混乱を収束させた。しかし、武力をもって鎮圧し、愛国心ある多くの若者たちを虐殺したという事実を一般国民も知るところとなった。

これにより共産党政権の威信は地に墜ちた。共産主義のイデオロギーも半ば崩壊し、政権は求心力を失ったのだ。

天安門事件の鎮圧の直後に成立した江沢民政権は、国際的孤立の解決と同時に、国内における共産党政権の求心力を取り戻す必要があった。

そこで打ち出したのが「愛国主義」という国民を束ねるための新しいイデオロギーである。国民の愛国主義精神の高揚を図るために、日本を仮想敵として設定し国民全体を対象にして、いわゆる反日教育を展開し始めたのだ。

要するに、日本を「憎むべき外敵」に仕立てて愛国情念を煽り立て、共産党政権の悪行を有耶無耶(うやむや)にしつつ、求心力を高める工作である。そのため、江沢民政権は1994年に「愛国主義教育実施綱要」を公布し、全国の教育機関で「反日教育」と表裏一体の愛国主義教育を展開した。

反日教育は学校教育だけではなく、新聞・出版・映画・テレビなどのあらゆるメディアを総動員して、国民全体を対象にした洗脳工作も行ったのだ。戦後、日本国民に対してGHQが行った自虐史観植えつけ工作であるWGIP（ウォー・ギルト・インフォメーション・プログラム）をさらに悪辣にしたようなものだ。

この反日教育の特徴は、日本国と日本民族を凶暴な悪魔のような存在に仕立て、国民の日本に対する憎悪を煽り立てていくこと。

ひとつ例を挙げると、当時の上海の一流大学で教師をしている尹協華（いんきょうか）という研究者が『日本の秘密』（中国電影出版社）という本を著して〝日本は最も危険な軍国主義国家〟であることを論じた。

ちなみに、第2次大戦中の話ではない。１９９０年代の話である。

その本の中で尹協華は、〝野獣〟や〝悪魔〟といった言葉で日本を罵倒し、挙げ句の果てには「野獣はいつの日にか必ず人を食う」という結論に達している。あからさまな人種差別論にして、劣悪な異世界ファンタジーである。

肖季文など3名の学者が書いた『日本：罪を認めたくない国』という書籍では、「日本人の偏狭心理こそが軍国主義精神の根源である」と断言し、「このような偏狭心理に支配されている日本民族は野蛮的・凶暴的・貪欲的になっている」と日本民族を攻撃している。

つまり、江沢民政権は、残虐な人間が住まう〝異世界設定〟の日本を捏造して国民を洗脳した。そこから日本に対する反日感情が広がっていったのだ。もちろん、それを信じてしまうのも開いた口がふさがらないが……。

恩を仇で返す江沢民

時は流れて1998年11月、江沢民は6年振りに訪日する。

当時の中国は天皇陛下の訪中を突破口にして経済制裁を解いてもらい、経済の立て直しにもある程度成功し、米国クリントン政権とも良好な関係を築き、国際的立場も強くなっていた。

6年前は日本に泣きついてきた弱い立場だったが、今は自分たちが優位に立ったと思ったのであろう、態度は豹変。日本訪問中、江沢民はいたるところで歴史問題を持ち出して「日本人は歴史を学べ」などと演説し、激しい日本批判を展開し、威圧的かつ横暴な態度を貫いた。

何より日本人として許しがたいのは天皇陛下主催の宮中晩餐会で江沢民が無礼千万の振る舞いをしたことだ。江沢民は宮中晩餐会のスピーチで歴史問題に触れ、「日本軍国主義は対外侵略拡張の誤った道を歩んだ」「われわれは痛ましい歴史の教訓を永遠にくみ取らなければならない」と、日本を非難したのだ。

しかも非礼はスピーチだけではない。主催の天皇陛下をはじめ出席者全員が、ブラック・タイの礼服を着ていたにもかかわらず、江沢民はいわゆる黒い中山服（人民服）という平服姿で出席。すべてが天皇陛下と日本に対する侮辱だったのである。

まさに「恩を仇で返す」の典型である。江沢民政権が日本に対してやった2つのこと。ひとつは国内の反日教育。もうひとつは外交的に日本を散々侮辱したという歴史的事実があることを日本人は忘れてはいけないのだ。

江沢民政権は13年間続き、２００２年に終わった。

しかし、この十数年間に及ぶ反日教育の結果、多くの中国国民、特に若者たちに、現実的な理由もなければ根拠もない激しい日本憎悪の感情が植えつけられた。日本憎悪がその時代の風潮だったと言ってもいい。

江沢民時代において作り出されたこの得体の知れない反日感情が目に見える形で現れたのは、実は次の胡錦濤政権時代になってからである。

２００５年の春、中国で広がった大規模な反日運動とそれに伴う反日暴動が起きた。深圳で始まった反日デモはＳＮＳを通じて伝播し、北京、上海、各都市に広がり、香港やニューヨーク、ロサンゼルスにも飛び火した。当時、東シナ海のガス田の領有権問題、教科書問題など日中政府間に懸念事項はいくつもあった。

しかし、反日暴動の発生は同年の3月21日に、当時のアナン国連事務総長が、「日本が新たな安保理常任理事国になるはずだ」と常任理事国入りを示唆する発言をしたことに起因する。

1994年の国連総会の演説で当時の河野洋平副総理兼外相が安全保障理事会の常任理事国に立候補を表明して以来、常任理事国入りは日本の外交目標であった。2004年に小泉純一郎首相が再び国連で日本の常任理事国入りへの意欲を見せ、米国をはじめ各国が容認の意向を示すと、それを阻止したい中国は歴史問題を持ち出し、自国だけでなく「アジア諸国が日本を地域のリーダーと認めていない」と主張していた。

考えてみればおかしな話である。大規模な反乱運動が起きた原因は、日本が中国に対して何か不利益を与えたからではないのだ。

アナン国連事務総長の発言で火がつく、つまり日本が国連の常任理事国に入るのが気に入らないというのが、反日デモの発動の原因になる。まさに江沢民政権の反日洗脳教育の成果である。中華思想に基づけば日本は東夷、化外の地だが、これはまだなまぬるい。そう、愛国教育により、日本は〝悪魔の国〟にまで墜とされたのだ。

アナン発言の翌日の3月21日、尖閣諸島の中国領有を主張する民間団体「中国民間保釣（釣魚島保全）連合会」はホームページで、「日本の常任理事国入りを阻止せよ」というスローガンを打ち出して反対運動を呼びかけた。それを受けて、当日の夜から中国国内のポータルサイト「新浪」、「捜狐」、「網易」が相次いで自社サイトで署名用ページを開設して、日本の常任理事国入り反対の署名を募りはじめた。

３月26日の夜になると前述の３つのポータルサイトに集まった署名数は３００万人を軽く超え、28日の午後には７００万人に達してしまった。まさに燎原の火の勢いである。さらに中国全国の各大都市や大学ではさまざまな形の反対運動が一斉に展開され、それを伝える記事タイトルが国内の新聞のトップを飾った。

「広州市街地で一万人署名、日本の理事国入り反対」
「深圳市民が自家用車で車列デモ、日本の常任理事国入り阻止」
「北京大学学生、日本大使館に反対署名提出」
「四川師範大学一万人署名」
「成都市民数万人反対署名」
「貴陽市民二万街頭署名に参加」

これらの新聞記事のタイトルを見ただけでも全国あちこちで反対運動が巻き起こっていることが見て取れる。その流れのなかで反対運動はますます激化して、打ちこわしなどの暴動にエスカレートしていったのだ。

4月2日の夕方、西南地域の大都会である成都では、数千人の若者たちが市街地で反対デモを繰り広げてから、日系スーパーマーケットのイトーヨーカ堂の前に集まった。彼らは「日本製品ボイコット」と叫びながら、石やパイプを使って店舗のショーウインドウを破壊した。

4月3日には広東省の深圳市でも大規模な反対デモが起きた。約2000人の参加者が市中心部の広場に集まって反対集会を開き、その後二手に分かれて市内を行進。その中の一群が目指したのは日系スーパーマーケットのジャスコ。彼らは目的地に着くと「日本の常任理事国入り反対」を叫びながら、店舗の看板や休憩コーナーのパラソルなどを次々となぎ倒して気勢を上げた。

続いて4月9日、首都北京で参加者1万人以上という最大規模のデモが発生。北京市内を行進しながら膨張していくデモ隊は駐中国日本大使館の前に辿り着いた。参加者たちの投石による日本大使館襲撃という事態にまで発展したのである。

成都で起きた反日デモ。日系のスーパーマーケットを襲う。
写真：AP/ アフロ

　さらに4月16日、上海で大規模な反日デモが発生。参加者は延べ2万人に達した。デモは日本総領事館を目指して行進。総領事館に到着するやいなや一部の参加者たちは暴徒と化した。彼らは石やペットボトルや野菜、果物など、何でも手に入るものを日本の総領事館に向けて投げつけた。総領事館は十数枚の窓ガラスが割られ、外壁がペンキなどで汚された。

　同時に上海市内の中心部でも暴動が発生。日本の料理店やコンビニエンスストアなど十数軒もの日系の店舗が破壊されたのだ。北京で起きた4月9日の反日デモをさらに上回る被害となった。

　当時、上海の日本総領事館はホームペ

ージに〝「反日デモ」による被害を避けるためのアドバイス〟という注意喚起を掲載し、暴徒による「物的被害」に加えて、日本人2名がデモ隊に取り囲まれて軽傷を負うという「人的被害」も生じたことを伝えている。

また、さまざまな注意喚起の項目には「アパート内においても警戒は必要」とまであった。その内容は「今回、一部地元の人たちがデモ隊を先導して日系商店や日本人が多く住むアパートに向かわせていたことが目撃されています。さらに、某アパートでは2階部分までデモ隊が侵入したことが確認されています。デモが発生した際は共用スペースで子供だけを遊ばせること等は絶対に行わず、アパート内といえども十分注意して下さい」というものだった。

大きく開花して実った反日洗脳

2005年3月23日から始まった国民的反日署名運動は、数週間のうちに大規模なデモ活動に発展して、さらに無法の暴動にまでエスカレートした。それは中華人民共和国建国以来の最大規模の反日運動であり、しかもそれは天安門事件以来、国内で起

北京での大規模反日デモの様子。
写真：ロイター / アフロ

きた最大規模の群衆運動でもあったのだ。こんなに激しく、大規模な運動になったのは当然、1990年代以来、中国共産党が行った反日教育の大いなる成果である。

江沢民政権が反日の種を蒔いて育み、胡錦濤政権時代になって開花して実った。

考えてみてほしい。2005年の反日デモのとき、日本人が、日本という国が中国に対して何か悪いことをしたのだろうか。日本人は何もやっていない。何もしていないのにもかかわらず、国連事務総長が日本の国連常任理事会入りに言及しただけで、中国の国民は激しい反対運動や暴動を起こす。

胡錦濤政権はともかく、一般の中国国民には関係のない話である。中国の国益がそれで損なわれることもない。中国人の感情が傷つけられることもないのに勝手に反日デモを始め、暴動を起こし日本料理店やスーパーマーケットを打ち壊す。

これはまさに狂気であって、普通の状態ではない。

外交的、経済的に利用するだけして、叩き潰しにきたうえに、国民を洗脳して暴動まで起こさせるのが中国共産党なのだ。日本人の倫理観で中国を判断してはいけないのだ。われわれ日本人は、中国と対峙するうえで、〝悪魔の国〟として敵国設定されていることを忘れてはいけないのである。

未来永劫日本を叩くと決めた習近平

現代の中華皇帝である習近平主席について、本書では皇帝政治の面から見てきたが、ここでは日本への外交政策、つまり反日政策という面から事例を見ていこう。

結論から言えば、習近平政権は江沢民政権時代から始まった反日政策をそのまま受け継ぎ国策としている。２０１４年2月開催の全国人民代表大会で、習近平政権は日中戦争にまつわる３つの国家記念日を制定したのがそれを象徴している。

7月7日「抗日戦争勃発記念日」
9月3日「抗日戦争勝利記念日」
12月13日「南京大虐殺犠牲者追悼日」

7月7日の抗日戦争勃発記念日というのは１９３７年、北京郊外の盧溝橋（ろこうきょう）で近隣に駐屯していた日本軍と中国軍の間で戦闘状態となり、日中戦争が始まった日のことだ。中国では日中戦争のことを「抗日戦争」と呼んでいる。日本で言えば支那事変が起きた日である。

9月3日の抗日戦争勝利記念日とは、1945年の8月15日に日本がポツダム宣言を受諾して、同年9月3日に中国に駐留している日本軍が中華民国国民政府（中国共産党政府ではない）に降伏の手続きをとった日ということで制定したものだ。とはいえ、共産党政権とは何の関係もない。彼らが勝利したわけでも何でもないのである。

さらに12月13日を南京大虐殺の犠牲者の国家的追悼日に制定した。これは1937年の12月13日に日本軍は当時の中華民国国民政府の首都である南京を陥落させて南京に入城したことによる。

中国共産党側の言い分としては、その日から日本軍は南京で30万人の市民を虐殺したことになっている。筆者の見解としては、それは中国の虚言である。少なくとも大虐殺はなかったと確信している。

中国においても特定の外国が関わる歴史を国家記念日として定めるのは異例である。いずれも日本との過去の戦争にまつわるものであるというのは異常である。つまり矛先はすべて日本に向けられているのである。

3つの記念日が制定されてからの9年間、現在に至るまで習近平政権は毎年必ず大規模な国家的記念行事をこれらの日に催して日本批判の気勢を上げてきた。

記念日だけでなく、その前後1週間程度は中国国内メディアを挙げて日本批判、反日感情の高揚のプロパガンダで溢れさせるのだ。

これらの記念日を制定した2014年、習近平主席は未来永劫、国策として「歴史問題」で日本叩きをしていくことを表明したと言っていい。

年々増えていく戦争犠牲者数

2014年9月3日、北京の人民大会堂（じんみんだいかいどう）で開かれた「抗日戦争勝利69周年を記念する座談会」において、習近平主席は重要講話で以下のように述べている。

「8年にわたる抗日戦争を通して、中国人民は日本の侵略者を打ち破り、日本軍国主義の完全な失敗を宣言し、中国人民は抗日戦争と世界の反ファシズム戦争の徹底的勝利を宣言した。（中略）中国人民の抗日戦争において中国共産党は常に中心的な力であり、主導的な役割を果たしている」

翌2015年の9月3日、習近平政権は北京で「抗日戦争勝利70周年記念式典」を開催し、盛大な軍事パレードを行った。

そこで習近平主席が発表した談話は、次の通り。

「本日は世界の人々が永遠に記念すべき日です。70年前の今日、中国人民は14年間の長きに及ぶ非常に困難な闘争を経て、中国人民抗日戦争の偉大な勝利を収めたことで、世界反ファシズム戦争の完全な勝利を宣言し、平和の光が再び大地をあまねく照らしました。

（中略）中国人民抗日戦争と世界反ファシズム戦争は正義と邪悪、光と闇、進歩と反動の大決戦でした。あの凄惨な戦争において、中国人民抗日戦争は最も早く始まり、最も長く続きました。侵略者を前に中華民族の人々は不撓不屈で、血みどろになって奮戦し、日本軍国主義侵略者を徹底的に打ち負かし、5000年余り発展した中華民族の文明の成果を守り、人類の平和事業を守り、戦争史上における奇観、中華民族の壮挙を築きました。

（中略）あの戦争において、中国人民は大きな民族的犠牲によって世界反ファシズム戦争のアジアの主戦場を支え、世界反ファシズム戦争の勝利に重大な貢献を果たしました。中国人民抗日戦争は国際社会の広範な支持も得ました。中国人民は中国抗日戦争の勝利への各国の人々の貢献を永遠に銘記します」（「人民日報日本語版」２０１５年９月３日付）

２０１５年の談話はかなりの文字数を引用したが、その理由は、どこにも事実が存在しないことを知ってもらいたいからだ。いわゆる創作物である。

日本人のなかには「日本は中国に負けた」と思い込まされている人もいるかもしれないが、それは違う。日本が負けたのはアメリカとの戦いであり、１９４５年８月15日に日本が敗戦した際、日本の支那派遣軍は中国の大半を支配し、１０５万人程度の兵力はほとんど無傷だったのだ。

日本は、アメリカに敗戦したことによって、形式的に連合国軍に全面降伏することになっただけで、連合国の中華民国にも降伏したことになった、というだけなのだ。

さらに酷いのが２０１４年の談話の〝8年間〟という数字が、２０１５年には〝14

年間〟に大幅水増しされていることだ。

これまで中国は1937年の盧溝橋事件を抗日戦争の始まりとしていたが、それを1931年の柳条湖事件まで遡り、抗日戦争は14年間続いたと主張し始めたということだ。ならば記念日は9月3日ではなく、9月18日にすればいい。

中国共産党の数字の水増しについては、今に始まったことではない。

1950年、中国共産党政権が樹立した直後に発表された中国での日中戦争犠牲者数は1000万人だった。それが1985年には2100万人になった。そして江沢民政権の下で反日教育が始まり、1995年になると3500万人になってしまった。つまり、45年間で3・5倍に盛りに盛られたのだ。

習近平主席も前述の抗日戦勝69周年記念をはじめ、さまざまな公式の場で、抗日戦争中の中国軍民の死傷者は3500万人だと当然のようにのたまう。

また、抗日戦争で中国がこうむった直接の経済損失は1937年の価格換算で1000億ドル、間接的な経済損失は5000億ドルとしているが、この死傷者3500万人という数字の根拠についても、経済損失の額の根拠についても習近平政権は一切、示していない。

そして中国政府にも、中国国内の研究でも、この数字を立証する論文はどこにも存在しないのである。

いつ中国は反ファシズム戦争に参加したのか

共産主義が目の敵にするのはファシズムだが、２０１４年の「抗日戦争勝利69周年記念式典」での談話の「中国人民は抗日戦争と世界の反ファシズム戦争の徹底的勝利を宣言し～」などという虚言には開いた口がふさがらない。

第２次大戦における「反ファシズム戦争」とは、当然、ヨーロッパ戦線における対ナチスドイツ勝利も含まれているはずである。

通常、「反ファシズム」といえば、対ナチスドイツを指す。日中戦争とヨーロッパ戦線における対ナチスドイツ作戦は何の関係もない。中国とも中国共産党とも一切関係ないのだ。第一、ヨーロッパ戦線で中国人民が戦うことはなかったのだ。

皆さんももうおわかりだろう。

天安門事件で共産党の威信と求心力が失われて以来、共産党一党独裁の正統性を強調するためには、江沢民が発明した〝反日抗日〟をテコにするしかないのである。そのため、抗日の被害を極大化し、〝それに打ち勝った中国共産党〟という偽りの神話を強化せざるを得ないのである。

海上自衛隊護衛艦に火器管制レーダーを照射した中国海軍

習近平政権発足から3カ月も経っていない2013年1月30日午前10時頃、東シナ海の公海上で警戒監視中の海上自衛隊護衛艦「ゆうだち」が、中国海軍艦艇「ジャンウェイⅡ級フリゲート」から、火器管制レーダーの照射を受けたことをご存じだろうか。

また少しさかのぼるが、同年1月19日午後5時頃にも、同じく東シナ海の公海上において、警戒監視中の海上自衛隊護衛艦「おおなみ」搭載ヘリに対する、中国海軍艦艇「ジャンカイⅠ級フリゲート」からの火器管制レーダーの照射が疑われる事案が発生していたのだ。

火器管制レーダー照射問題といえば、2019年12月の韓国海軍駆逐艦による海上自衛隊第4航空群所属P‐1哨戒機への火器管制レーダーの照射が記憶に新しい。韓国政府の二転三転する嘘とお粗末な捏造画像に、日本中が呆れたものだ。

火器管制レーダーの照射は、基本的に、火器の使用に先立って実施する行為であり、これを相手に照射することは武力衝突を招きかねない危険な行為である。

日本政府は2月5日に外交ルートを通じて中国側に申し入れを行った。しかし習近平政権は「中国側の艦載レーダーは正常な警戒と監視活動を続けていたが、火器管制レーダーは使用していない」とシラを切った。

続けて翌年の5月24日午前11時頃及び12時頃、東シナ海の公海上空において、海上自衛隊のＯＰ‐３Ｃおよび、航空自衛隊のＹＳ‐11ＥＢが、２機の中国軍戦闘機Ｓｕ‐27による異常な接近（30〜45ｍの至近距離）を受けるという事案が発生した。

防衛省統合幕僚監部の発表によると２０１４年４月から12月までの9カ月間に、日本に接近した軍用機に対し領空侵犯を防ぐために行った航空自衛隊戦闘機の緊急発進回数は、７４４回に達し、前年（２０１３）の同期間と比べて１８１回の大幅増となった。そのうち中国軍機に対する緊急発進回数は３７１回とほぼ半分、前年同期比で84回増加している。つまり、習近平政権になったとたん、中国は日本にとってロシアと並ぶ空からの最大の脅威となったのだ。

2016年6月28日、インターネットのニュースサイトに、「東シナ海上空で中国軍の戦闘機が空自機に対し攻撃動作を仕掛けた」とする記事が上がった。記事を発表したのは元航空自衛隊航空支援集団司令官の織田邦男元空将。

織田氏は記事で中国軍艦が同月、尖閣諸島周辺の接続水域や口永良部島周辺の領海などに相次いで侵入した事例に言及し、「これら海上の動きと合わせるように、中国海空軍の戦闘機が航空自衛隊のスクランブル(緊急発進)機に対し、極めて危険な挑発行動を取るようになった」と指摘した。防衛省幹部は産経新聞の取材に対し、大筋で事実関係を認めた。

「中国軍機はスクランブルで出動した空自戦闘機に対し攻撃動作を仕掛けてきたため、空自機はいったん防御機動で回避したが、ドッグファイト(格闘戦)に巻き込まれ、不測の状態が生起しかねないと判断し、自己防御装置を使用しながら中国軍機によるミサイル攻撃を回避しつつ戦域から離脱した」と織田氏は伝えている。

習近平政権下では中国の軍艦が白昼堂々と日本の領海に侵入し、空では空自戦闘機にドッグファイトを仕掛け、ミサイルまで発射する事態になっているのである。

衝撃的だったのは、2017年7月2日、中国のH6爆撃機6機が沖縄本島と宮古島の間の公海上空を通過した後、日本列島に沿う形で太平洋を北東に飛行したことである。航空自衛隊の戦闘機は緊急発進した。

Ｈ６爆撃機は紀伊半島沖まで進んだ後、反転して同じルートで東シナ海に戻った。中国のＨ６爆撃機領空侵犯はなかったが、「関西、京阪神をいつでも火の海にしてやるぞ」という意思表示と見て取れる。

習近平政権１期目発足直後から２０１７年８月までの間、つまり１期目の間ずっと日本に対する危険極まりない軍事挑発、いや軍事恫喝を行ってきたのを見ても、習近平政権が揺るぎない反日政権であること、中国こそが日本にとって最大の軍事的脅威であることが認識できるだろう。

そして２０２２年10月より３期目となった現在でも、その軍事的恫喝が緩むことはない。また、中国海警局の公船による尖閣諸島周辺での領海侵犯、接続水域への侵入も常態化しており、日本の主権は日常的に侵害され続けている。

弾道ミサイルを撃ち込んでくる国

公開情報を見るだけで、〝ふわっとした危機感〟に留まってなどいられなくなるのが現実の日中関係なのであるが、困ったときには日本に擦り寄ってくるのが中国共産党のやり方である。これは習近平政権になっても変わらない。

２０１７年、２期目となった習近平主席に困ったことが起こる。

トランプ政権下の米国と関係が悪化し、緊張が高まった。西側諸国、特に米国との関係が悪くなったら外交的に日本を利用するのがいつものパターンだ。

２０１９年から中国共産党は習近平国家主席の日本への国賓来日を模索し、日本側に働きかけてきた。日本を利用するために関係も緩和させ、軍事恫喝もある程度控えめになった。本来ならば２０２０年４月に訪日が実現する流れだったが、武漢発のコロナウイルス感染症の世界的拡大により、訪日は中止。現在も宙に浮いたままである。

それ以降、日中関係は再び氷河期に戻ったのである。

そして、２０２２年8月4日、中国軍は対台湾軍事演習において、日本の排他的経済水域（ＥＥＺ）に弾道ミサイルを5発も撃ち込んだ。

計9発のうち5発がＥＥＺ内への着弾である。最初に発射された1発は、日本のＥＥＺの外とはいえ落下地点は与那国島から80㎞の地点なのである。弾道ミサイル落下を踏まえ、与那国町漁業協同組合は出漁の自粛を組合員に要請した。

日中国交正常化50周年の年にＥＥＺを含む日本の近海、つまり日本人の海上の生活圏に訓練海域を設定し、弾道ミサイルを打ち込むのが中国共産党の日本への外交態度なのである。そしてこれは異世界の出来事ではなく現実なのだ。

海警局を第2海軍化する習近平政権

２０２２年、中国公船が尖閣周辺の接続水域で確認された日数は過去最多の３３６日を記録した。

２０２３年1月30日、石垣市は東海大学の調査船「新世丸」で尖閣諸島の周辺海域の海洋調査を行った。同船には石垣市市長やメディアの記者も乗船、そして第11管区海上保安本部の巡視船の護衛付きである。同調査は２０２２年も実施されたが、その際にも中国海警局の船舶が領海に侵入して調査船に接近しようとした。

今回、最初に新世丸に中国海警局の船舶が接近してきたのは30日午前4時頃、尖閣諸島の接続水域を航行していたときである。

その後、午前6時7分頃、尖閣諸島・南小島沖の領海に海警船1隻が侵入。新世丸に接近する動きを見せたため、海保の巡視船が間に入って新世丸の安全を確保し、領海から退去するよう呼びかけた。

海警船はいったん離れたが、調査中の午前10時20分頃から、海警船1隻が目視できる距離に近づいてきたため、海保の巡視船2隻が間に入って近づかせないようにしたとのことだ。

日本政府は同日、中国側に外交ルートで抗議したが、同日の中国海警局の報道官の主張は、「調査船に警告を出し追い払った」である。

この中国海警局がとんだ曲者である。

日本の海上保安庁を想像しているなら、その考えは捨ててほしい。習近平政権は2021年2月に海警局に武器使用を認める法整備を行っているのだ。

その結果、海警局は保有艦船数を大きく増やし、武器を充実させてきている。つまり、所属こそ海軍ではないが、事実上の軍隊とも言うべき装備を持って尖閣諸島周辺海域

尖閣諸島周辺に連日姿を現す海警局の船舶。
提供：第 11 管区海上保安本部 / ロイター / アフロ

をうろつき、接続水域だけでなく日本領海にまで侵入を日々繰り返しているのだ。

２０２２年11月25日に尖閣諸島周辺の日本領海に侵入した海警局船には76ミリ砲が搭載されていた。ちなみに海上保安庁の「しきしま」が搭載しているのは35ミリ２連装機関砲である。76ミリ砲は軍艦の装備として使われる艦砲であり、その攻撃力は法執行活動のレベルを超えているのだ。

習近平政権の最大の狙いは〝正規軍を使わずに、実力行使する〟ことである。武装巡視船を運用して準軍事的組織としての攻撃力を持つが、表向きは海保同様に警察的組織なのである。

海警局が軍艦レベルの火力で日本の漁船や海保の巡視船を攻撃したとしても、中国政府は「自分たちを守るための警察行動である」という屁理屈を報道官が声高々に主張してくるだろう。そして、海上保安庁では対抗できずに自衛隊が出動すれば、中国海軍が出動する口実を与えてしまうことにもなるのである。

中国海警局の威嚇行動が展開されているのは日本の領海だけではない。フィリピンと領有権をめぐり対立する南沙(なんさ)諸島においても傍若無人な振る舞いをしている。2023年2月6日、フィリピン沿岸警備隊の巡視船に対して中国海警局の船舶がレーザー照射(※念のため、火器管制レーダーではない)を行ったのだ。

「明らかな主権の侵害」と中国を非難するフィリピン当局に対し、中国は「フィリピンの船が許可を得ずに海域に入った」と強弁したのである。

あちらこちらで同じことをやらかし、非を問われれば存在しない正当性を強弁する――。傍若無人にして唯我独尊の外交の雲行きが怪しくなってきたのは2023年2月になってのことである。春節の休みが明けたとたん、中国外務省は　由々しき事態に直面することになる。

偵察気球

２０２３年2月4日午後（日本時間では5日未明）、米本土上空を飛行していた中国の「偵察気球（スパイ気球）」を米軍の最新鋭ステルス戦闘機Ｆ‐22ラプターが空対空ミサイルのサイドワインダーで撃墜するという事件が起きた。

事件の結果、その直後に予定されていたブリンケン国務長官の訪中が延期され、米国議会でも中国非難が高まった。今後、米国の対中技術封鎖はより一層厳しくなる見通しだ。

偵察気球は1月28日、米アラスカ沖のアリューシャン列島近くから米国領空に侵入し、アラスカ州上空からカナダの空域に侵入後、31日以降はアイダホ州から米国上空に再侵入した。この偵察気球は飛行中、米軍の大陸間弾道ミサイル発射施設がある西部モンタナ州上空も通過。米国防総省は〝偵察用〟と断定したのである。

バイデン大統領は地上に被害が出るリスクがなくなり次第、偵察気球を撃ち落とすように命じた。偵察気球はサウスカロライナ州沖約10㎞の領海上空で粉々になったのである。一体この気球は何だったのか。

撃墜した中国偵察気球の残骸を回収する米軍。
提供：MC1 Ryan Seelbach/U.S. Navy/UPI/ アフロ

ワシントン・ポスト紙（2月7日付）は、ウェンディ・シャーマン米国務次官が2月6日に約40カ国の大使館から約150人の外交官を集めて、中国の偵察気球が実施していた諜報活動について説明会を開いたと報じた。さらに同紙はこの中国の気球は海南省などから発進し、日本、インド、ベトナム、台湾、フィリピンなどにある軍事施設の情報を収集しており、米当局が標的となった同盟諸国と特定情報の共有を始めたことも伝えている。

ジャンピエール米大統領報道官は2月8日の記者会見で、米本土や世界各地に飛来したとされる中国の偵察気球について「監視活動のために開発された中国の気球船団の一部だ」と述べた。

　米国防総省のライダー報道官も、米国の基地を含む戦略施設の監視・偵察を目的に数年間にわたり運用されてきた大規模な偵察気球計画の一部だと記者会見で指摘し、中国政府の「民間の気象研究用だ」という主張を真っ向から否定した。

　この偵察気球は日本の領空にも飛来してきている。

　今回の米国領空侵犯の偵察気球撃墜を受け、防衛省は2月14日、過去に日本の領空で気球型の飛行物体が確認された事案3件について、分析の結果、中国が飛行させた無人偵察用気球であると強く推定されると発表した。この事案3件とは２０１９年11月・鹿児島県薩摩川内（さつませんだい）市、２０２０年６月・仙台市、２０２１年９月・青森県八戸市の上空で確認された3件である。

さらなる飛行物体

　2月10日午後（日本時間では11日未明）、米アラスカ州上空を高高度で飛行する飛行物体がアラスカ州エルメンドルフ空軍基地から出動したＦ‐22戦闘機の空対空ミサイルによって撃墜された。この飛行物体は9日夜に発見され、高度約4万フィートを飛行しており、「民間航空機の飛行の潜在的な脅威となる危険がある」として撃墜すべきと判断されたのだという。

さらに翌日の11日、新たな飛行物体がカナダ領空を侵犯した。カナダのトルドー首相は、飛行物体の撃墜を命じ、北米航空宇宙防衛司令部（NORAD（ノーラッド））/カナダと米国の防衛組織）がカナダ北西部のユーコン準州の上空で撃墜した。カナダ軍は残骸を回収、分析を進めることになった。4日の気球撃墜から数えて4件目である。そして12日、また新たな飛行物体がアメリカ上空に出現した。領空侵犯した飛行物体はミシガン州のカナダ国境に近いヒューロン湖上空高度2万フィートを飛行、F-16戦闘機の空対空ミサイルによって撃墜された。

今のところ4日以外の飛行物体の種類や国籍、発進地などは不明とされ、特定を急いでいるという報道に留まっている。

腑に落ちないミス

事実関係の確認はこれくらいにして、今回の偵察気球撃墜事件の腑に落ちない点について考えてみたい。

問題は、偵察気球を放った中国側はいったいどうしてこのタイミングで、米中関係を壊すような行動に出たのかである。

実は昨年秋から２０２３年の２月にかけ、習近平政権はむしろ、米中関係改善を積極的に進めていたのだ。

習近平主席は２０２２年10月下旬に3期目をスタートしてからは、国内経済の立て直しと併せて、国際的孤立からの脱却のため対米関係改善に乗り出していたのである。時系列で振り返ってみたい。

２０２２年11月14日、習近平主席はバリ島でバイデン大統領と3時間にわたる首脳会談を行い、「共に両国関係を健全で安定した発展軌道に戻す努力をしたい」と語り、関係改善と対話継続の意欲を示した。

２０２２年12月30日、習近平は２０２３年3月開催予定の全人代を待たずして異例の「閣僚人事」を行い、前駐米大使の秦剛（しんごう）氏を外務大臣に任命。

秦剛氏は外相に就任した2日後の２０２３年1月1日、ブリンケン米国務長官と電

新外相の秦剛氏。
写真：ロイター／アフロ

話会談、新年の挨拶を交わしたと同時に、「米中関係を改善・発展させていきたい」と語っている。

米国務長官との電話会談の9日後、秦外相は本来一番の友好国であるはずのロシア外相との電話会談を行ったが、そのなかで秦外相はロシア側に対し、今後の中露関係の原則として〝同盟しない、対抗しない、第三国をターゲットとしない〟という〝3つのしない〟方針を提示した。

それは明らかに、米国を中心とした西側に配慮したもので、ロシアとの関係見直しのための挙動であり、習近平政権の対米改善外交の一環であると思われる。

こうしたなかで、ブリンケン国務長官

の2月訪中が双方の間で決定され、ブリンケン国務長官は2月5日、6日の日程で北京を訪問する予定となった。さらに英フィナンシャル・タイムズは、ブリンケン国務長官は北京訪問中に、習近平主席と会談する予定であるとも伝えたのだ。

ブリンケン訪中直前の2月1日〜3日の連続3日間、人民日報は第3面で対米関係に関する『鐘声』というコーナータイトルの論評を掲載し、「経済協力関係の深化」や「Ｗｉｎ－Ｗｉｎ関係の構築」を訴え、「米中関係を健全・安定の軌道に戻そう」と米国側に呼びかけた。中国語で鐘声の〝鐘〟という字は、「中国」あるいは「中央」の〝中〟と同じ発音なのである。鐘声というタイトルは「中国の声」、「中央の声」であることは中国国内では常識なのである。

習近平政権は多大な期待を抱いて世論上の準備も整えたうえで「ブリンケン訪中」を迎えようとしていたことがわかる。ブリンケン国務長官の訪中を極めて重要視し、それを対米関係改善の重要なる一歩だと位置づけていたのだ。

しかし、まさに自国の放った偵察気球でブリンケン訪中が延期されただけでなく、アメリカの対中姿勢はさらに厳しくなる一方だ。習近平主席のメンツは丸つぶれ、米中関係はより一層悪化する方向へ転じた。9日、米下院は「あからさまな主権侵害だ」

と非難する決議案を全会一致で可決したほどである。

結果的には習近平政権は自らが起こした気球事件によって、自らの推進する対米改善を〝タイミングよく〟潰してしまった。このような自己矛盾・支離滅裂の背後には一体何があるのだろうか。

自己矛盾と支離滅裂の背景にあるもの

その可能性のひとつは、偵察気球の領空侵犯は習近平主席、あるいは最高指導部の意思によって引き起こされたのではなく、政権内の一部の勢力がよきタイミングを狙って習近平政権の対米関係改善を潰したのではないか、ということである。

もうひとつの可能性は、偵察気球を放ったのは中国軍である可能性が高いため、習近平主席の対米関係改善潰しに暗躍したのは軍ではないかという推測だ。

まずは中国外務省の事件初期からの対応を見てみよう。

中国外務省の事件対応は最初の時点ではかなりの混乱を見せていた。偵察気球が米国で発見された翌日の2月3日午後、中国外務省・毛寧（もうねい）報道官は定例の記者会見で記

2月3日、記者の質問に答える中国外務省・毛寧報道官。
写真：ロイター／アフロ

者の質問に答えて、「私は関連の報道に留意した。中国側は事実関係の確認中」と答えた。つまり毛氏の話からすれば、外務省は事前に気球のことを知らされず、〝報道で見た〟ということだ。

当日の晩の21時すぎ、中国外務省は公式サイトで実際にはなかった〝報道官の回答〟を単独で掲載し、気球が中国のものであると認めたと同時に、「それは民間用の気象調査気球であって不可抗力で間違った軌道に入った」という発表を行ったのだ。

偵察気球が米国で発見された時点で、中国政府内で事前に「事態を誤魔化すための嘘のすり合わせ」が行われたならば、毛寧報道官は3日午後の記者会見でこの通りの回答をしたはずだ。

要するに、その時点で事実関係確認中云々ということは、この時点では外務省も本当に何が起こったのかを知らされていなかったので、回答に窮したのだ。

記者会見の後になって初めて「事態を誤魔化すための嘘のすり合わせ」が行われたということである。本来ならば、事前に口裏を合わせるのが道理である。

つまり中国外務省は初期段階では蚊帳の外で、どう対応すべきかわからず混乱していた。このことからわかるのは、気球の件に関して習近平政権は統一した指揮下で各部門が歩調を合わせて行動してはいないということだ。

責任転嫁と反発のトーンがいつもより弱い

もうひとつ注目すべきなのは、報道官の話のトーンである。

気球が発見され、その後撃墜となったわけだが、中国外務省は米国への批判・抗議を繰り返しながらも一貫して反発のトーンを弱めて、対米関係改善の余地をできるだけ残そうとしているのだ。

2月3日の外務省発表では、気球が「間違って米国に入った」ことに対し「遺憾」を表明したと同時に、「米国側との意思疎通を保ちたい」と表明。

2月4日、秦剛外相はブリンケン米国務長官との電話会談で「随時の意思疎通で対立をコントロールしよう」と語った。

2月5日、米国による気球撃墜に対して、中国外務省の謝峰副部長（副大臣）は米国大使館に出向いて「厳正なる抗議」を申し入れた。

まず注目すべきなのは、〝出向いて〟というところである。

駐在大使を中国外務省に〝呼び出して〟の抗議ではないこと。さらに抗議において謝氏は、「必要な反応をする権利を保留する」と語る一方、米国側に対して「緊張をそれ以上拡大させてはならない」と求めたのだ。

自国の気球が撃墜されたのにもかかわらず、中国外務省としては、むしろ事態を早期に収束させ、それ以上の緊張拡大を避けたい本音が滲み出ている。2月6日、毛寧報道官は記者会見でボールをアメリカに投げ、「米中関係を安定させ、改善させるための米国側の誠意が試される」と語った。それは明らかに、米国側が「誠意」を示してくれれば、中国側は依然として関係改善を推進したいという遠回しの懇願である。

バイデン米大統領は7日の一般教書演説で、「わが国の主権を脅かせば、米国を守るために行動する」と警告し、米下院も9日、「あからさまな主権侵害だ」と非難する決議案を全会一致で可決した。この一般教書演説を受け、毛寧報道官は8日の記者会見で「米国は中国側と共に米中関係を健全・安定の軌道に戻すべき」と語り、依然として関係改善への意欲を示している。

その一方、習近平主席が対米改善の切り札として任命した秦剛新外相は、今回の「偵察気球事件」に対し沈黙を守った。これは新外相による対米批判を避け、関係改善のための細い糸を残すための苦肉の策だろう。

食い違う軍部と外務省のスタンス

このようにして習近平主席—秦外相ラインの外交部門は一貫して「柔軟姿勢」を保ち、対米関係改善路線を継続させたい思惑であるが、それに対して異様な対応ぶりをしているのが中国国防省である。

2月5日、米国による気球撃墜の事態を受け、中国国防省報道官は「談話」を発表し、

「厳重なる抗議」を行ったと同時に、「類似する事態に対して必要な手段で処置する権利を保留する」と発言したのである。

この発言の意味は明らかに、もし米国側の気球などが中国に飛んでくるという「類似する事態」が発生した場合、中国軍もそれを撃墜するような「必要な手段による処置」をとる用意があるという意味だ。

つまり、「やられたらやり返す」、軍事手段による対米報復を強く示唆したものであるが、それは中国外務省の「反応する権利の保留」よりは一歩進んだ強い表現であると同時に、「誤って入った気球の撃墜は不当である」という中国外務省の主張を否定しているのだ。同じ習近平政権の下で、外務省と国防省の姿勢の違いが明確なのだ。まさに〝政権内不一致〟である。

2月7日、米国国防総省報道官は、気球撃墜の直後、米国側は中国国防相との電話会談を申し込んだが断られたと発表。今の時点では、習近平指導部の意思としてそれを断ったのか、国防相（あるいは軍）自らの判断で断ったのかは不明であるが、外務省が一貫して主張している「意思疎通」とは明らかに矛盾している。政権内の乱れを露呈していると言える。

もし電話会談拒否が軍の意思であるならば、そもそもブリンケン国務長官訪中直前のタイミングで偵察気球を放って米中対立を作り出して、習近平主席の対米関係改善潰しに取りかかったのは、まさに中国軍であるということになるだろう。

2月8日、外務省毛寧報道官は定例の記者会見で「どうして中国国防相は米国側との電話会談を拒否したのか」と問われると、「それは国防省に聞いてください」と即答で突き放した。「国防相のやることは私たちの知ったことじゃない」と言わんばかりの異様な反応だった。

そして9日、国防省報道官は「談話」を発表し、「対話の雰囲気にない」との理由で電話会談拒否の姿勢を説明。同時に「類似する事態に対して必要な手段で処置する権利を保留する」と対米報復を再び示唆した。国防省（軍）が「対話の雰囲気にない」と明言した以上、外務省としても当面は米国側との対話を模索しにくくなる。

捉えようによっては、国防省（軍）はこの「談話発表」をもって、外交ラインが依然として示している対米関係改善の道を封じ込めようとしているようにも見えるのだ。

私は今後、軍の動向を追いながら真相を掘り下げる必要があると考えている。

第4章

民族と国土と民

漢民族の行動原理

漢民族からすれば、他の民族はすべて少数民族

皇帝政治と指導者の立ち振る舞いと史実を見てきたが、ここからは市井の人々に焦点を当てていこう。すなわち、国民性の分析だ。

中国人の国民性を知るうえで、まず認識しなければならないのが、中国は多民族国家だということだ。しかし、この多民族、つまり多様性が危機的状況にある。

中国共産党が２０２０年に発表したデータによると総人口は14億１１７８万人。そのなかで漢民族は12億８６３１万人で、総人口に占める比率は91・11％である。要するに中国総人口の９割以上は漢民族なのである。

では、漢民族以外の民族にはどんな民族があるのか。中国共産党では、漢民族以外の民族を「少数民族」と称している。本来、民族に大も小もなく、それぞれが独自の文化を持ち、尊重されるべきであり、これは漢民族視点の傲慢な言い方である。要するに漢民族が多数派だから、他の民族はすべて少数民族なのだ。

中国国内には漢民族以外に55の民族が生活している。人口にして１億２５４７万人。中国の総人口に占める比率は８・89％。１割未満である。

そのなかで最大の人口を擁する民族はチワン族（壮族）で、人口は約1700万人。現在の中国には少数民族が集中的に住む地域、いわゆる自治区が設置されている。名目的には少数民族が自治しているということだ。それが5つある。

内モンゴル自治区（内蒙古自治区）
広西チワン族自治区（広西壮族自治区）
新疆ウイグル自治区（新疆維吾爾自治区）
チベット自治区（西蔵自治区）
寧夏回族自治区

さらに、少数民族の自治行政体としては規模の大小に応じて自治州、自治県、自治郷がある。

では、本当に少数民族が自分たちの行政単位を統治しているかというと、話はまったく違う。各地区の権力者が誰であるかを見れば、それは一目瞭然なのだ。各自治区の最高権力者である共産党書記、軍事司令官はすべて漢民族の人間なのである。

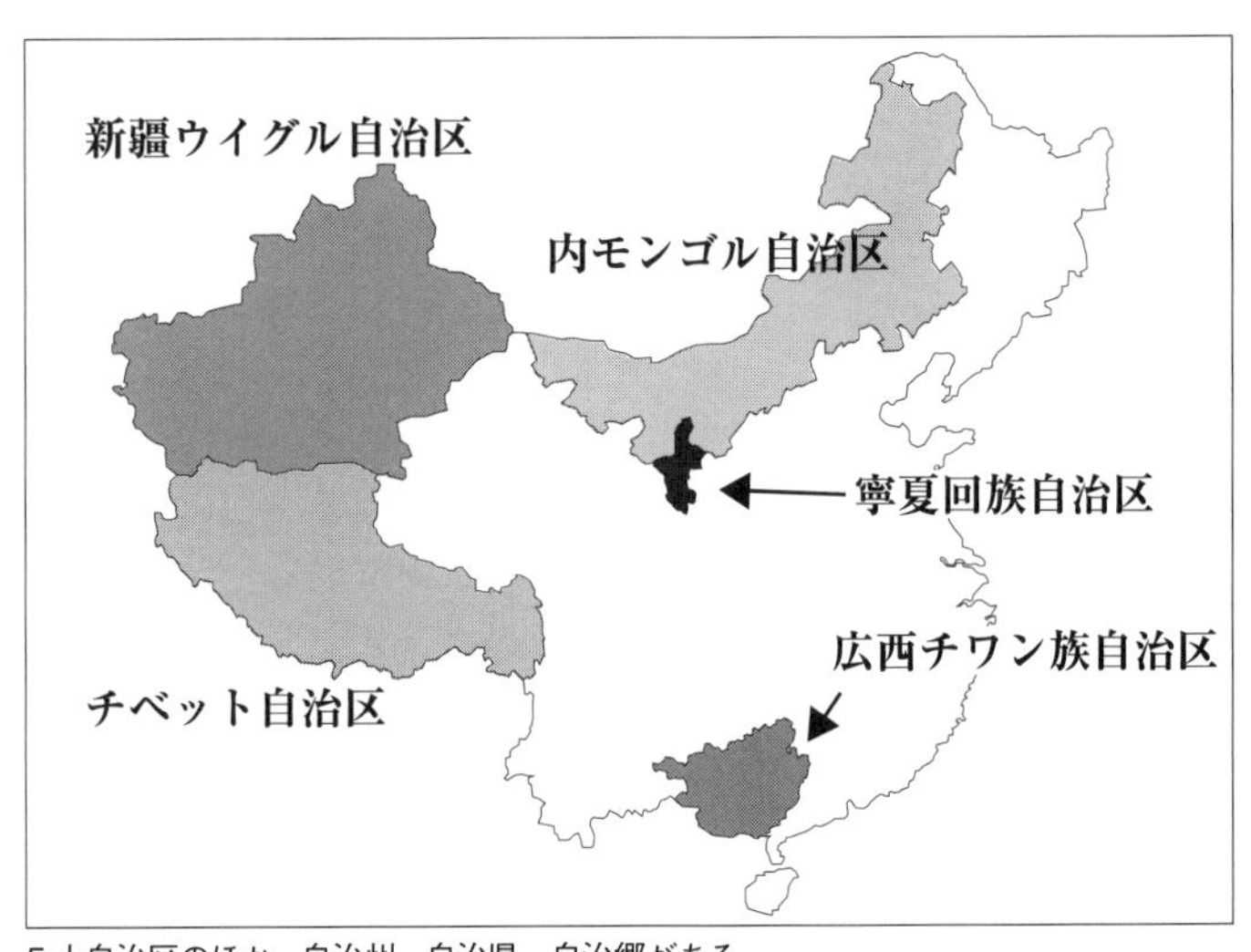

5大自治区のほか、自治州、自治県、自治郷がある。

つまり、少数民族による自治というものはどこにも存在しない。自治区とは名ばかりで、完全に漢民族による支配構造になっているのだ。

たとえば共産党政権の最高指導部である「共産党中央委員会政治局」では、24名の委員は全員漢民族である。少数民族は誰ひとりとして入っていない。

すなわち漢民族を主体とした共産党が漢民族以外の55の民族を完全に支配しているのだ。どうしてこのような漢民族中心の支配体制になったかを理解するには、共産党政権による少数民族地域に対する侵略と虐殺、つまり民族浄化の歴史を辿る必要がある。

少数民族に対するジェノサイド

中華人民共和国ができた当初から進めている政策のひとつが、少数民族の住む地域を軍事的に占領することだ。

なかでも、内モンゴルに関してはそれ以前から動いていた。

１９４７年に当時の中華民国から独立した内モンゴル自治政府という自治政府があった。しかし、中国共産党がその内部からこの自治政府を乗っ取ったうえで、人民解放軍による軍事占領を行ったのだ。

さらに文化大革命の時代、１９６７年から68年の２年間、内モンゴルでモンゴル人を標的とした「内人党粛清運動」を展開している。内人党とは「内モンゴル人民革命党」のことであるが、実はこのような政党はどこにも存在しない。

つまりこれは、共産党によるでっちあげなのだ。それを口実にモンゴル人の粛清運動を展開したのである。運動のなかでは34万人のモンゴル人を逮捕・投獄し、そのうちの５万人以上を殺害したとされている。このことに関しては、静岡大学人文社会科学部教授である楊海英氏が研究し、論文や書籍を発表しているので参考にしてほしい。

1949年10月、まさに建国したての共産党政権は、解放軍第一野戦軍第一兵団をウイグル族の住む新疆地域に進軍させて12月までには完全に征服してしまった。翌年の10月に人民解放軍はチベットへの入り口となる昌都という重要都市を占領。そのうえでそこに大軍を集結させ、全面侵攻の態勢を整えた。1951年10月にはチベットの首都ラサに進駐し、ほぼチベット全域への軍事制圧を完成させた。

1952年から58年までの間、共産党政権は甘粛省甘南チベット自治州（カロン地区）でチベット人に対する虐殺を断続的に行い、約1万人のチベット人の命を奪い、1956年から58年まで四川省アバ・チベット族チャン族自治州では推定2万人のチベット人を虐殺したのである。

さらに1958年の3月、チベット首都ラサで独立を求めて立ち上がったチベット人に対して、人民解放軍は重火器を使って鎮圧にあたり、2日間にわたって約1万5千人のチベット人を虐殺。ダライ・ラマがチベットからインドに亡命したのは、そのときの話である。

信じがたいことだろうが、1950年代初頭から1970年代にかけて、共産党政権はチベット全域において虐殺と弾圧を繰り返してきたのである。その犠牲になったチベット人は推定120万人と言われている。

当然、共産党政権はチベット人に対する虐殺だけではなく、さまざまな少数民族に対して酷い仕打ちを重ねてきた。たとえば、私の故郷である四川省には涼山イ族自治州がある。中国共産党の圧政に対し、1956年にイ族が反乱を起こしたのだが、政府は軍総参謀長を司令官に13万の人民解放軍を涼山イ族自治州に派遣。2年間にわたる鎮圧・掃討作戦を展開し、推定数万人のイ族を殺害したとされている。

そして現在、国際的大問題になっているのがウイグル人に対するジェノサイドである。前述の通り1949年10月、共産党政権はウイグル族の住む新疆地域を占領した。そして1950年から1970年代後半にかけて推定30万人のウイグル人を殺害したのだ。

そして近年、2018年から推定で100万人単位のウイグル人たちを500以上の強制収容所に送り込み、強制労働や洗脳教育を行い、拷問や強姦を繰り返していると言われている。

さらに悪辣非道の極みと言うべきなのが、2018年からウイグル人の女性に対して不妊手術を強制しているということ。子どもを産ませないということは、ウイグル人の出生率を大幅に下げて、ウイグル人の民族浄化を図っているということだ。

生活習慣と宗教、文化の破壊

民辱浄化に加えて、共産党政権が少数民族に対して進めてきた政策が民族の生活様式や宗教、文化の破壊である。すなわち漢化政策である。

たとえば内モンゴルでは遊牧を生業としているモンゴル人たちの牧草地を強制的に農地に改造する。遊牧生活を破壊して、そのライフスタイルを農耕民族の漢民族のそれに同化させてしまうのだ。

異国の文化を尊重するだけでなく、取捨選択して取り入れ、ときに本家本元よりもブラッシュアップしてしまう日本人には理解しがたいが、漢民族の手口は異国文化の抹消なのである。

各自治区では、子どもたちに自分たちの民族の言語の勉強を禁じ、漢民族の中国語を押しつけるのだ。言葉こそ文化の中核だ。言葉を失ったら文化そのものが失われてしまうというのに、こんなことをしているのだ。

各自治区で行われている中国共産党の植民政策もまた非道である。少数民族の住まう地域に漢民族を大量に入植させることによって、地域の漢化を図るのだ。
その結果、各自治区の漢民族比率は驚くほど高い。

内モンゴル自治区：漢民族比率80％
広西チワン族自治区：漢民族比率66％
新疆ウイグル自治区：漢民族比率41％

最も漢民族比率が高いのが内モンゴル自治区で、80％が漢民族である。もう完全に漢民族の植民地になっているのがわかるだろう。

民族浄化の狙いは土地

共産党政権誕生以来70数年ずっと、少数民族に対して彼らの住む土地を占領しては虐殺や弾圧を行うという行為を繰り返してきた。最後には民族浄化政策で民族の存在

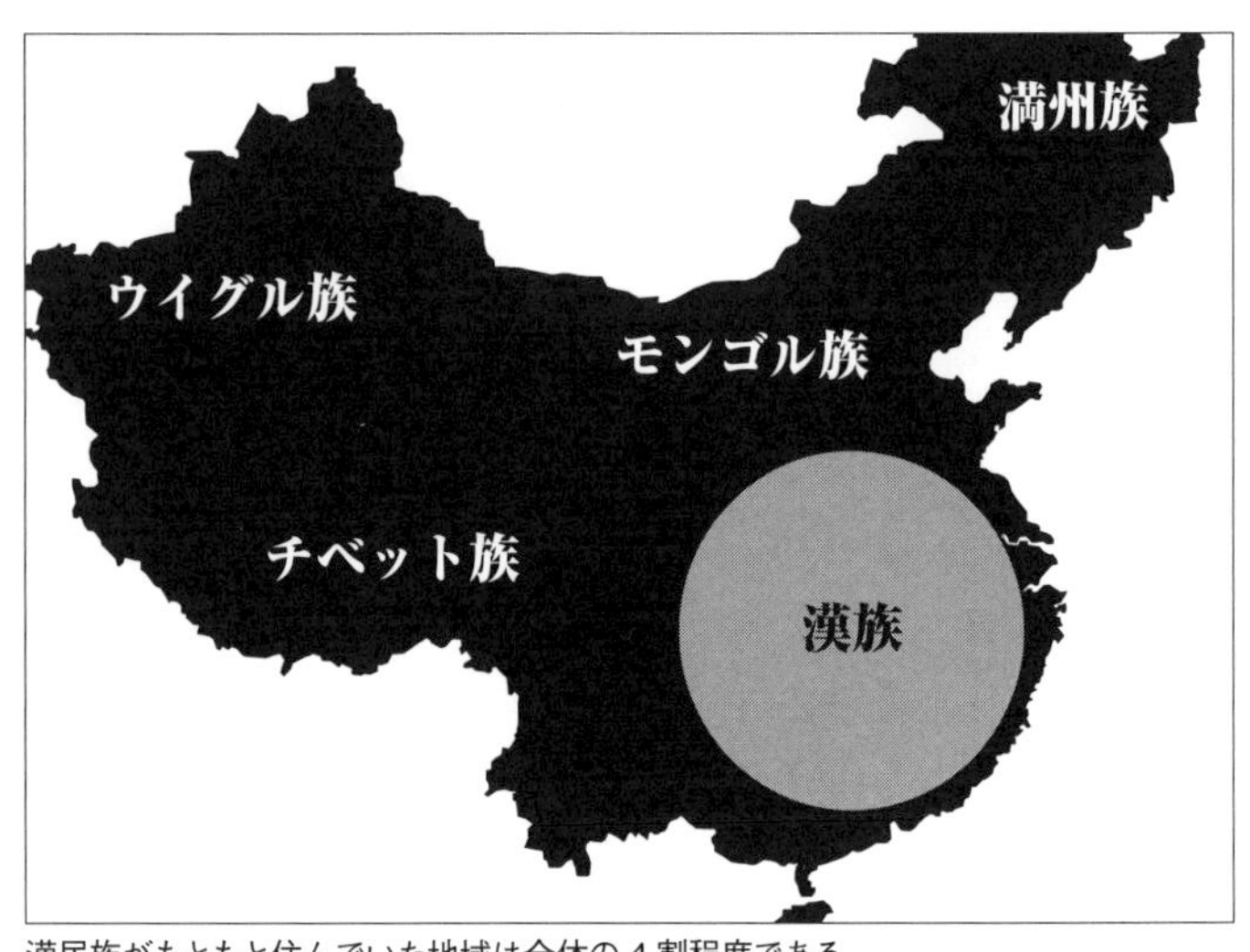

漢民族がもともと住んでいた地域は全体の４割程度である。

を消してしまう。その手順は、①軍事占領、②政治支配、③文化的同化の3段階で遂行されているのがおわかりいただけただろう。

その目的は「土地」、つまり「領土」である。モンゴル人にしてもチベット人にしても中国の中で彼らの占める人口の割合は少ないが、彼らが先祖代々住む土地は広大なのだ。

たとえば内モンゴル自治区の面積は118・3万㎢。ちなみに日本は37・8万㎢なので、日本の約3倍である。新疆ウイグル自治区の面積は166万㎢。チベット自治区は122・8万㎢。いわゆる三大自治区の面積を合わせれば407万

㎢になる。

中国全体の面積は959・7万㎢。その中でチベット人、ウイグル人、モンゴル人が先祖代々住む土地が総面積の42%を占めるのだ。

さらに、すべての少数民族の自治区、自治州、自治県、自治郷、つまり人口の8・89%でしかない55の民族の先祖代々の土地を合算すると、中国の総面積の6割以上を占めているのだ。そこがまさに問題の一番の根源なのである。

要するに漢民族が主体の中国共産党が少数民族の土地を奪っていなかったとしたら、中国の国土は現在の4割程度しかないのだ。

他の民族の土地を奪ったからこそ、現在の959・7万㎢という広大な国土がある。つまり、漢民族は少数民族の土地を占領して、自分たちのものにしないとやっていけないというのが現状なのだ。だから、無理やりにでも文化を破壊して少数民族を漢民族に同化させ、同化が困難なら浄化して、地上から消す政策を進めてきたのだ。

ゆえに、中華民族という民族は実在しないと言っていい。

それは漢民族によって作り出された虚構の民族である。今の中国共産党政権は、「中華民族」という虚構の概念で、他の民族の文化と伝統を否定し、彼らのアイデンティティを徹底的に破壊してきたのである。「中華民族」という概念は各民族の尊重とは真逆、「漢民族」への同化政策ということがおわかりいただけるだろう。

水没する予定の場所に暮らす

台風シーズンや長雨の季節になると、日本国内でも水害が起こる。そして同じ時期に中国の水害のニュースも世界に発信される。揚子江中流の景勝地・三峡に建設された世界最大級の「三峡ダム」の今にも溢れんとする水位の話題や、流域都市の住宅地が水浸しになった写真がインターネットを駆け巡る。

日本人には馴染みがないが、中国には「泄洪（せっこう）」という言葉がある。要するに中国政府が得意とする水害対策の名称だ。具体的に言えば、河川や湖、ダムの水位が警報線を越えた際、人工的に堤防を決壊させ、指定された泄洪区（畜洪区、分洪区とも言われる）という地域に溢れた水を流し込むというやり方だ。

実際、中国には揚子江流域だけでも44の泄洪区があり、普段は農地としても使われており、当然人も大勢住んでいる。農耕地だけではなく、街ひとつが政府の指定した

2022年6月、江西省上饒市の洪水。
写真：AP/ アフロ

泄洪区の中に入っているケースもある。もともと昔からあった街が政府の指定した泄洪区に入れられてしまう場合もあれば、後になって拡大した街の一部が泄洪区に入ってしまう場合もある。

たとえば揚子江の流域にある公安県という県の県庁所在地の街はそのまま泄洪区に入っている。揚子江の水量が深刻化した場合、県庁所在地の街が沈む可能性があるということだ。

繰り返すが政府が指定したあちこちの泄洪区には、実際に大勢の人が暮らし、その家屋も財産もある。しかし、大洪水となると政府は武漢や南京などの大都市を守るために、なんのためらいもなく堤を破壊して水を流し込む。

皆さんがテレビやネットで見る水浸しになった中国の街の風景は、このようにして生まれるのだ。要するに水害対策そのものが水害を作り出すのが「泄洪」なのである。

そんなところ（泄洪区）になぜ住むのか、という疑問は当然だ。政府が最初から水没させようとしている地域で暮らすなど、危険極まりない。本来なら政府は土地利用を制限して、人々が住まないようにするべきである。

なぜ、こんなことになっているのか。その背後には中国が直面している国土事情がある。

総人口14億人に対して国土も広いじゃないか、と思う人もおられるだろう。前述したように、漢民族は侵略戦争、あるいは拡張政策の結果、ウイグル人、モンゴル人、チベット人たちの土地を奪ってきたのだ。

しかし、国土の半分を占める少数民族たちの住むエリアは、実はたくさんの人が住めない地域なのである。奪って手に入れた国土には人口の5％程度しか住んでいないのだ。総人口の95％が残り半分のエリアに生活している。

ゆえに、もとから漢民族の住んでいた地域の人口密度が高くなる。その典型的な地域のひとつが揚子江の中流下流地域なのだ。

この地域には、湖北省、湖南省、江西省、安徽（あんき）省、浙江（せっこう）省、江蘇省という6つの省がある。この6つの省の合計面積は約90万㎢。国土面積の1／10以下である。この狭いエリアに約3億7000万人が暮らしている。中国の総人口の約1／4である。泄洪区に指定され、いずれ水没する予定のエリアであっても、そこに住まなければ他に住む場所がないのである。

生存空間開拓論

現在、揚子江の中流下流地域では環境破壊が進んでいる。

森林破壊が拡大して、多くの森林が消えてしまったのはその一例だ。それに伴って砂漠化も進んでいて、毎年、日本の神奈川県に相当する面積の国土が砂漠と化していっているのだ。

そして現在、中国は水不足に悩まされている。

不足するだけではなく、中国の大都市を流れる河川の9割近くが汚染され、地下水の7割も汚染されていると言われている。化学肥料を大量に使用することによって農耕地の汚染も進み、洪水によって土砂が海に流出するなど、今現在、中華の国土は疲弊しきっているのだ。

そこで浮上するのが、はたして中国という国が14億の人々を養うことができるのか、という議論だ。それが中国国内でたびたび話題となる「生存空間開拓論」だ。

一部の学者、あるいはエリートたちからすれば、今の中国には14億人のための生存空間——水、土地、空気、森林、全部を含めて不足しており、今後の中国にとって生存空間の開拓は急務だという趣旨だ。

第2章で解説した中華思想を思い出していただきたい。天の下のすべての土地が、そもそも中国皇帝のもので、国境すらないという華夷秩序の世界観。その古からの世界観と逼迫した現状から生み出された「生存空間開拓論」が、覇権主義による領土拡大、対外拡張主義に繋がってくるのだ。

習近平政権があちこちで領土拡大を図り、あちこちで敵を作る、そういう行動には当然、皇帝を目指す習近平の野望や中国共産党の方針がある。

しかし、その背後には「生存空間開拓論」が取り沙汰されているという切羽詰まった状況があることを認識すべきで、これを軽視してはならない。むしろ、われわれはきちんとそれを認識したうえで、どう対処するべきかを考えなければならない。

いくら生存空間が不足しているからといって、中国が日本の土地や海まで奪っていい理由は、どこにもないのだ。

漢民族が体現する中国人の国民性

中国の総人口の91・11％を占める漢民族。そして政権を運営する中国共産党も漢民族が仕切っている。先述したが、現存する55の少数民族に漢民族への同化という政策がなされているのだから、政治的にも民族的にも中国人の国民性を体現するのは漢民族であることは疑いようがない。

では、日本人は国内を訪れる中国人の立ち振る舞いを見てどんな印象を持っているだろうか。

公の場所での行動としては、道にゴミを捨てる、ところ構わずタンをはく、列にちゃんと並ばない、電車の中で大きな声で電話する……といったところだろう。

もちろん、日本人にもごくまれにそんな人がいるが、一般的ではないし、その行為は周囲から浮き上がり、白い目で見られること請け合いだ。

しかし、これらの行為は残念なことに中国社会では一般的であり、普通のことだ。日本社会においては、人の迷惑を考えない、公の秩序を乱す、といった行為は、特にその人の精神性を知らなくても、〝人間性すら疑われる〟行為である。

信じられないかもしれないが、中国社会ではこういった行為は〝人間性〟を疑われる行為ではない。つまり、みんなが当たり前としている共通の行動原理、〝国民性〟なのだ。日本に来たから、あえて公衆道徳を無視しているわけではない。ましてはさやかな反日行動でもない。

しかし、そんな彼らも自分の家に帰ったら、所定の場所にちゃんとゴミを捨て、部屋をきれいに保つのである。

さて、中国人の行動原理において、まずひとつの衝撃的な事実を提示しよう。

中国人には〝公〟の意識がないのである。

日本においては〝悪いことをしてはならない〟という発想は普遍的なものである。神道と仏教の概念からくる普遍的認識であったり、集落のしきたりや掟(おきて)などと呼ばれるルールも機能してきた。誰も見ていなくても、「お天道様（てんとう）が見ている」と、自分を律することができる。

ヨーロッパ世界にはキリスト教の教えがあった。キリスト教世界の道徳的行動原理があり、領主も領民もそれを守って暮らす。帰依していれば国王でさえキリスト教の教えを守るのだ。

しかし、中国人には〝普遍的なもの〟もない。

公がないから普遍的なものなど存在しようがないのだ。公がないために誰でも守るような公のルールが存在しないし、そもそも公など信用していない。

公を信用していない理由は中華伝統の皇帝政治に帰結する。公平で人々の共通の利益のために役に立つのが公。始皇帝以来続く皇帝政治には最初からそんなものは存在していないのは、ここまで読み進めてきた皆さんにはおわかりだろう。

中国人にとって嘘は悪ではない

さて、よく言われる〝中国人は嘘つき〟という評価だが、確かにその通りである。

逆に言えば、外に対しては「本当のことを言わない」のだ。

しかし、親族や家族の間では嘘はつかない。どうしてそうなのか?

中国人の行動原理に大きく関与するのが日本で言うところの身内という概念だ。つまり、彼らには家族や家族同様の固い絆、利害関係で結ばれた身内とで形成されるコミュニティがあり、その内と外には分厚い壁があるのだ。

壁の外の世界は要するに弱肉強食の世界、食うか食われるかの殺伐とした環境であり、前述したようにそこに公の利益などを考える発想は微塵もない。

壁の外の他人に対して嘘をついても悪事を働いてもかまわない反面、コミュニティの内側においては嘘をつかない。互いに忠誠を誓い合い、お互いの利益を守るのだ。

もちろん、その概念はどこの世界でも程度の違いこそあれ存在するだろう。日本人も欧米人も家族を大事にする。

しかし、その行動原理からすれば〝家族のために公をないがしろにする〟という発想はない。むしろそれは基本的によくないことと考えられている。

中国人はここの区別が非常に明確なのだ。そして、家族のために公をないがしろにするのは彼らの国民性においては〝悪いこと〟ではないのだ。

古の時代から中華帝国では官僚の腐敗・不正は日常茶飯事だった。官僚たちの不正の理由はシンプルだ。家族や親族のためになるからだ。

前述の行動原理からすれば、家族親族のために不正をするのは悪いことではないのだ。逆に官僚が不正を働かず、家族親族に利益をもたらさなかったら、それはそれで許されないことなのだ。中国において家族内の倫理は、社会全体、すなわち公の倫理とは正反対になっているのである。このような歪にして異質な中国独特の家族中心主義を私は「一族イズム」と呼んでいる。

漢民族の社会には古より「宗族」という父系の血縁集団が存在してきた。一族の優秀な人間を科挙に合格させるために物心両面で応援する。科挙に通ってめでたく官僚になった者は不正もいとわず一族の面倒を見るのだ。

物心両面で応援するための一族の財産が「義田」、教育機関が「義塾」、宗族間の争いは「械闘」と呼ばれた。出世した人間が一族に利益や権益をもたらさなければリーダー失格とみなされ、〝悪〟となるのだ。

中華王朝においては皇帝はやりたい放題。官僚も権力を手に入れれば自分たちの利益のために生きてきた。皇帝も官僚も自分たちの一族のことだけを考えているのだから、誰も庶民の利益を守ってくれない。

そんな政治体制・社会環境で長い間生活してきたため、現代になっても中国人は公も国家も他人も信じないのだ。

日本人は契約書がなくても約束を守る、それは信用社会だからだ。欧米人は契約書があれば守る。契約社会ではそれがルールだからだ。

では中国社会、中国人の国民性ではどうだろうか。

残念ながら信用も契約履行の精神もない。お互いに信頼して一緒に頑張ろうという発想がない。契約があっても守る気持ちがない。それが中華で生きていくための基本であり〝是〟なのだ。

彼らの行動原理は一族にとって有利かどうかなのだ。

腐敗摘発運動と家族ぐるみの汚職

習近平氏は国家主席に就任すると国内向けのパフォーマンスとして「腐敗摘発運動」を推進した。

彼は自分の政治的盟友である王岐山(おうきざん)氏を腐敗摘発の専門機関である党中央規律検査委員会の書記に任命。王岐山氏と二人三脚で大々的に摘発を進めたのである。

それにより、共産党幹部の収賄と汚職が国民だけでなく、国際社会にも認知されることになった。

周永康(しゅうえいこう)・元共産党政治局常務委員の摘発がその典型である。彼のポジションは党序列７位、まさに党の指導者のひとりであり、党内でも雲の上の人であった。彼は２０１５年、収賄と職権乱用、国家機密漏洩罪で無期懲役判決を受けた。

２０１４年の摘発時に、周永康とその周辺から差し押さえられた資産は総計で９００億元（当時の為替レートでは約１兆４９００億円相当）である。

金額もわれわれの想像を超える額だが、周永康にとって、この行為は悪ではなく〝善〟だったのだ。そして、この汚職と腐敗は〝家族ぐるみ〟で行われている。

周永康の汚職には妻の賈暁曄と息子の周濱が深く関わっていたのだ。一家が団結して汚職に励み、公をないがしろにしていたのである。

妻の賈暁曄は多忙の周永康に代わって〝収賄代理人〟として活動していた。〝昇進したければ賈姉御（賈暁曄）のところへ行け〟というのは、全国の公安幹部にとっては公然の秘密。周永康は妻の賈暁曄を利用して自分が直接に手を染めない形で収賄に励んでいたというわけだ。

周永康が摘発されて有罪判決を受けると、妻の賈暁曄も収賄罪に問われて懲役9年の実刑判決を受けた。

息子の周濱（前妻との間の長男）は〝出張収賄代理人〟のような役割だった。息子は各地方の公安幹部に昇進への助力の約束を交わし、賄賂を取ってくるというわけだ。彼は出張収賄代理人と並行して死刑囚の替え玉の斡旋も行っていた。全国の公安・裁判所・刑務所はすべて周永康の管轄下にあるがゆえに可能な汚職である。彼も周永康が摘発された後、懲役18年の実刑判決を受けた。

周永康の権力を基軸にして汚職に励んだ家族は、一家そろって刑務所送りになったのである。

ここからわかることは、儒教が政治・統治イデオロギーとして機能していた皇帝政治の時代と、共産主義を政治・統治イデオロギーとしている現代の中国の官僚は本質的には変わっていないということだ。

圏子という繋がり

公助がないなら、庶民は自助するしかない。

ゆえに自分たちの一族だけが頼りとなる。ある意味、中国人は常に一族で連帯して、お先真っ暗の皇帝政治下でサバイバルしてきたと言ってもいいだろう。

国家（中国共産党）がそもそも国民を信じていないため、結果的に力で国民をまとめざるを得ない。国民も権力には逆らえないから、長いものには巻かれる。しかし、権力の目を誤魔化すことができれば、好き放題、やりたい放題となる。

もちろん、現代社会においては家族・親族・宗族といった単位で社会生活を完結させることはできない。

それゆえ、現代中国では「圏子（チェンツ）」という強固な繋がりが機能している。

「圏子」という言葉を訳せば、〝限定された社会集団の輪・サークル〟という意味であるが、中国人の「圏子」は往々にして政治的腐敗と深い関係があって、腐敗汚職を臭わせる集まりなのである。

いわゆる内輪的な世界であり、属した者同士がお互いに依存し合い、利益を共有し、悪いことも一緒にやる相互扶助組織と言えばいいだろうか。しかし、ご想像の通り、その外の世界は敵だらけということだ。

日本人が中国を訪れ、中国人に騙されるのは当然なのだ。圏子に入っていないのだから。でも、これは中国人同士でも同じ。入っていなかったら嘘をつかれる、騙されるのは当然で、このことに関して彼らはなんのためらいもないのである。

腐敗する圏子ネットワーク

家族という繋がりが腐敗の温床なら、圏子という繋がりも同様なのは中華の行動原理からすれば当然と思われるだろう。前述の周永康の件は家族ぐるみでは終わらず、彼の家族を頂点にして、周永康の元秘書・元部下、あるいは親類・同郷者を主なメンバーとする大きな腐敗圏子が形成されていたのである。

周永康の元部下や元秘書、親類・同郷者は、自らの職務・権力を利用しての収賄に励む一方、周永康に贈賄して昇進を図ろうとする者たちの〝取り次ぎ役〟も務めていたのである。昇進を望む者たちは周永康の圏子の中の誰かに接触して伝手（つて）を得なければば、贈賄の窓口すらわからないのである。

収賄代理人である周永康の妻を頂点とした圏子はまさに腐敗した利益共同体として権勢を振るったが、周永康が摘発された後、彼の圏子の多くは芋蔓式に摘発された。腐敗圏子のメンバーとして捕まったのは３００人以上。

元秘書、元部下、元ボディガードのほか、副大臣クラスの幹部もいた。腐敗圏子の頂点、周永康と共存共栄・共倒れの道を歩んだのである。

家族主義と共産主義

中国は共産主義国家になってから、国教としての宗教は存在しなくなった。

儒教は皇帝政治によって官僚や人民をコントロールするための政治・統治イデオロギーとして機能しつつ、中華人民の社会性や倫理観、道徳観の中核を担ってきたが、毛沢東の文化大革命によって、現在はほぼ破壊されてしまっている。

もちろん、老人の前では形式上、敬意を払わなければならない——など、生活習慣に多少は残っているが……。

しかし、共産主義や文化大革命が破壊しつくせなかったものがある。家族中心主義の「一族イズム」だ。

共産主義革命において「家族の解体」は重要な施策である。ロシア革命後、レーニンが〝家族〟を徹底的に破壊しようとしたのはご承知だろう。共産主義体制は家族単位ではなく〝個〟が基本だ。

マルクス・レーニン主義を御旗（みはた）とする中国共産党も例外ではなかった。その代表的事例のひとつが人民公社である。これは完全に失敗に終わった。人民公社は毛沢東が中華人民共和国の社会主義政策の根幹として推進した集団農場である。

そもそも家族中心主義が中華の基本である。特に農村の生産活動は家族・一族で従事する。これを潰して人民公社にした結果、どうなったか。

一生懸命働かないのだ。それはそうである。働いても家族の収益にならないのだ。しかも〝働いても働かなくても同じ〟なのである。公の意識のない中華民族に労働意欲など生じるはずもない。集団所有、集団労働、統一経営、統一分配を目指した社会主義的組織とスローガンは立派だが、生産性は著しく減り、その政策は大飢饉と想像を絶する数の餓死者も生じさせた。

人民公社での食事風景。写真：Alamy/ アフロ

鄧小平が上手だったのは人民公社を解体して、農家生産請負制にしたことだ。農業生産は農家生産請負制にしたとたん、同じ土地、同じ作物、同じ人間なのに収穫がすぐさま回復した。彼らは公をなくしたほうがパワーを発揮するのである。

これは中国人の生産モチベーションという視点でのエピソードだが、農村部における宗族の破壊、つまり共産主義による、一族イズムという伝統の社会システムの破壊行動のありさまは、知るのもおぞましい殺戮と虐殺の地獄絵図である。

これについては拙著『中国共産党

暗黒の百年史』（飛鳥新社）で詳しく解説しているので、認識を深めるうえで参考にしていただければ幸いだ。

毛沢東は宗族を潰すべく、破壊と殺戮による農村改革に乗り出したが、結局「人民公社」が宗族に取って代わっただけだった。

その人民公社も機能不全に陥り、家族主義が盛り返した。そして現代においては「圏子」と呼ばれる利益共有集団がある。どれも一族や内輪の繁栄のみが大事という行動原理は変わらない。

習主席のキャンペーンも実は宗族同士の権力争い（械闘（かいとう））に他ならない。つまり、宗族の原理が共産党政権を支配したとも言えるのだ。

中華の伝統を破壊し尽くす革命

文化大革命は中華の長い歴史の中でも特別なことである。

共産党の最高指導者が若者たちを動員して自分の作った政権を滅茶苦茶に壊していく、民衆の蜂起による革命ではなく、最高指導者による革命など、これまでの歴史上

1966年1月、文化大革命時の様子。
写真：Gamma Rapho/ アフロ

ないことだからだ。

彼がとった政治手法は、党と政府の幹部階層に対する一般民衆の不満を利用して、〝下からの造反〟という形の民衆運動で党の組織を破壊し、党内実務派を一掃することであった。

毛沢東が文化大革命を発動し、紅衛兵（こうえいへい）が矛先を向けたのは共産党の幹部あるいは知識人だ。文化大革命という字面からは想像もつかないが、これは毛沢東主導下で展開された10年間に及ぶ政治・権力闘争であり、伝統文化破壊活動だったのである。

今まで共産党が作った秩序、中国の伝統文化や社会慣習、家族中心主義を徹底的に破壊するものだった。

幹部を迫害して殺し、伝統文化を象徴するものをことごとく潰し、孔子廟（こうしびょう）まで破壊した。２０００年以上の伝統文化に対する大掃除である。

今までの皇帝政治において、新皇帝は前王朝は潰すが社会制度は潰さず、むしろその上に新しい王朝を建ててきた。

毛沢東が推し進めたのは２０００年以上の伝統文化に対する大掃除であり、その掃除を、個人的権力や皇帝的権威で遂行したのだから、革命は当然失敗に終わった。

共産主義は中華伝統の家族中心主義を解体できなかったのである。

失敗したからこそ鄧小平の改革開放があるのだが、しかし、それは新しいことではなく元に戻っただけなのだ。

中華の歴史は常に古いものを壊して新しいものを作ってきた。

しかし新しいものといっても本質は同じなのである。確実に言えることは、悪い部分は常に変わらないということだ。

第5章

漢意(からごころ)と日本人

日本精神と中華思想の関係

江南春

千里鶯啼緑映紅
水村山郭酒旗風
南朝四百八十寺
多少楼台煙雨中

杜牧

千里鶯は啼いて緑紅に映ず
水村山郭酒旗の風
南朝四百八十寺
多少の楼台煙雨の中

本章は杜牧（とぼく）による七言絶句『江南春』から始めさせていただく。高校時代の試験勉強や大学受験勉強を思い出したという方もおられるだろう。漢文の教科書にも載っているので日本人にとっても馴染み深い漢詩である。

江南は現在の江蘇省、浙江省の長江下流の三角州地帯である。

南北朝時代に南朝の都（南京）だった頃、この地方は四百八十寺と言われるほどたくさんの寺院が立ち並んでいた。その江南の春の美しい光景を詠ったものだが、晩唐に生きた杜牧（８０３‐８５３）の目前の光景を詠ったものではない。

杜牧の脳裏に浮かんだ古の南朝（４２０‐５８９）の江南の春を描いたものなのである。

漢詩に描かれる世界は美しい、私自身も漢詩が好きである。

ただし、漢詩に描かれる美しい世界、それが現実の中国だと思ったら大間違いなのだ。漢詩に親しんできた私ですら、現代中国で漢詩に描かれる美しい世界など出合ったことはなかった。それは晩唐の杜牧とて同様なのだ。

中華の歴代の有名な詩人といえば、多くは官僚。あるいは皇帝に仕える立場で、日本で親しまれている漢詩の大半は官僚が詠ったものである。日本の『万葉集』のように、在野の人がほとんどいないのである。

すなわち、中華の官僚たちが生きる現実の世界はあまりにも残酷で汚いから、彼らは自分のユートピアを漢詩の世界に求めたのだ。

儒教を奉る立場ではあるが、本心では儒教とは別の世界を心の中に求めた。つまり、妄想の世界であり現実逃避でもある。

ユートピアはいわゆる老荘の世界である。山林に隠遁して酒を呑み、楽器を奏で、風雅を楽しみつつ悠々自適な生活を送る。官僚たちは現実の汚い世界に生きながら、心の中では、そんなことから解放されたいと夢見たのだ。

しかし、そんなことはできるはずもない、ゆえに漢詩に夢を託すのだ。

もちろん、現実逃避だけでなく、杜甫の五言律詩『春望』のように、「国破山河在　城春草木深　感時花濺涙　恨別鳥驚心　烽火連三月　家書抵萬金　白頭搔更短　渾欲不勝簪」と、厳しい現実を表現しているケースもある。

宋時代（北宋）に士大夫（したいふ）（科挙を突破した高級官僚）層出身の文人たちが描いた文人画と呼ばれる山水画も彼らのユートピア、山林に隠遁している場面を描いている。果たせぬ夢だから絵に託したのである。

儒教世界のユートピア

漢詩のユートピア（理想境）願望に触れたので、儒教のユートピア（理想国家）願望にも言及しておこう。

儒教では「昔々、そういうすばらしい時代があった」と〝過去〟のユートピアへの回帰が説かれる。これはもともとは孔子の教えで、「理想の政治があった周王朝への復古にこそ、ユートピアがある」ということだ。

国が乱れたとき、前に進むのではなく、儒教の教えは理想的な過去、古き善き時代に戻ることを説くのだ。

共産主義革命のユートピアが「これから実現するであろう、資本主義を超えた進化した社会」という〝未来〟であるのに対して、儒教では〝過去〟への回帰である。時間のベクトルこそ逆だが、「すべての人、天下万民がハッピーになる」という実現不可能なゴールは共産主義の妄想と同じなのだ。

そして最も同質的かつ悪質なのは、独裁のための統治イデオロギーであるということだ。皇帝政治の統治に、儒教も共産主義も実に都合がいいのである。

中華帝国の統治システムに、「儒教」に代えて、新たに「共産主義」を採用したのが中国共産党ということである。不要になった儒教は廃棄され、その残り香すら文化大革命によって徹底的に破壊されたのだ。

皇帝政治の中央集権システム、つまり皇帝が天下万民を直接支配する独裁体制を支えたのは官僚だ。中華帝国の高級官僚は、学科試験による官吏登用制度「科挙」を突破したエリートである。

科挙は6世紀の隋の時代に導入され、清朝末期の1905年に廃止されるまで、1300年以上続いた選抜システムである。この試験が科挙と呼ばれるようになったのは唐代で、元の時代は一時的に停止した。儒学の経典が試験内容として課せられたため、儒学は官吏を目指す者にとって必須の学問であった。

前述したが孔子の教えと儒教・儒学は別物である。儒教・儒学とは孔子と論語を利用して政治権力の正当化のための教学として整えられていったものと捉えるのが正解だ。

現代皇帝政治においては、官吏がマルクス・レーニン主義により共産党幹部というエリートに置き換わった。共産党幹部は民衆より先に目覚めたエリートであり、思想的覚悟を持って民衆を導く存在である。

かつては厳しい試験（科挙）によってエリートに相応しいか試されたが、共産党幹部になるためには党に対する忠誠心が試される。選抜の形が変わっても中華帝国はエリートが支えているのだ。

日本が受け継いでいる中華

2000年を超える皇帝政治の歴史を持つ中華人民共和国、その行動原理は日本と違うだけでなく、世界中のあらゆる国とも違うと言ってもいい。

唯一似ているといえば、現代なら北朝鮮、遡れば李氏朝鮮だが（1403年、第3代太宗のとき、明の永楽帝から冊封を受け朝鮮王国として承認された）、それらは中華帝国の影響下にあったからであり、真似ているのだから当然である。

日本という国も古の時代から中華の影響を受けてきたが、自分たちの独自性を失わなかった。皇帝政治が採用されることもなかったし、朝鮮のように中華の冊封体制に組み込まれることもなかった。

宗教的な視点に立っても、日本は古より儒教ではなく仏教を大事にしてきた。儒教を重んずるということは中華思想の「世界の中心は中華」という観点に立たねばならない。つまり、事実上の属国化だ。

しかし、仏教の世界観において、日本は自らの存在を中華と相対化することができる。仏教を介せば中華と日本は対等なのである。

儒教が脚光を浴びたのは江戸時代になってからで、しかも宗教や統治イデオロギーではなく、学問としてだ。

遣唐使は皇帝の仏教弾圧を見ていた

仏教は1世紀頃に後漢に伝わり、南北朝時代に発展を遂げた。すなわち、杜牧が偲んで詠った〝南朝四百八十寺〟の時代である。

唐の時代には、玄奘（げんじょう）や義浄がインドに渡り、多数の経典をもたらし翻訳され、中国仏教として独自の発展を遂げつつ中華における隆盛期を迎えた。

とはいえ、唐王朝で国教とされたのは道教である。唐時代、仏教と道教は皇帝の庇護をめぐってたびたび対立していたのである。

中国仏教が衰退するのも唐代後期である。８４５年、当時の皇帝である武宗は道教に傾倒しており、「会昌の廃仏」で仏教を弾圧し、４６００の寺院を破壊し、約26万人の僧尼を還俗させたと伝えられている。

この宗教弾圧の詳細は、奇しくも当時遣唐使として長安で仏教を学んでいた円仁（慈覚大師）の『入唐求法巡礼行記』に詳しく記されている。つまり、日本人がそのさまを見ていたのだ。そして、『江南春』の杜牧もこの時代を生きていたのである。

この弾圧は信仰の問題だけではなく、仏教寺院の財産の国家的没収という経済的側面も持つ。もともと唐では外来の宗教に寛容だったが、この宗教弾圧では、仏教のほか、景教（ネストリウス派キリスト教）、ゾロアスター教、マニ教、イスラム教なども弾圧された。中国仏教は消滅をまぬがれたが、以降は鎮護国家仏教ではなく、民衆に根をおろした禅宗と浄土宗が中心となっていくのである。

時代は進み、信仰に寛容だった元朝では朝廷でチベット仏教が信仰されるなどしたが、歴史上、中華帝国が仏教国家になったことは一度もないのである。

ともあれ、仏教が中華に伝わることで、経典が漢文に置き換えられたのである。それが日本に伝わったのは飛鳥時代、そして630年に始まり894年に停止となる遣唐使によって、唐で隆盛を極めた仏教の教えや経典が日本にもたらされた。

先述した通り、中国での仏教の衰退の原因となった宗教弾圧を最後の遣唐使となった円仁が目の当たりにしたこともそうだが、中華を経由した仏教が最後に落ち着いて全面開花したのがこの日本であることが興味深い。

たとえば鎌倉時代においての浄土宗、浄土真宗――これらの大乗仏教はもはや「日本仏教」である。

森羅万象、人も猫もネズミも草も木も成仏できる。浄土宗にいたっては念仏〝南無阿弥陀仏〟を唱えれば救われ、極楽浄土に生まれることができる。

現在は東南アジアで信仰される古い宗派である上座部仏教（かつては小乗仏教と呼ばれた）は、出家して大変な修行をして悟りを開いたひとにぎりの者だけが救われ成仏できるという世界観である。

しかし、誰でも成仏ができると考えるのが日本人の発想だ。

誰もが救済される世界といえば、神道もそうである。石ころひとつにも神様が宿っているという概念。序列などどうでもいいという社会がそもそもあったのだ。そういう意味では大乗仏教は、日本で神仏習合などを経てこそ、民衆の救済という究極の形になったと言っていいだろう。

中華経由で日本に伝播し、神道の世界観の中に融合し、究極の民衆救済として花開いた日本仏教。では儒教はどうなのだろうか。

日本が受け継いでいるのは儒教ではなく『論語』

結論から言えば、日本が受け継いでいるのは儒教ではなく『論語』である。

つまり孔子の考え方そのものである。付け加えるなら、日本の神道の世界観と中華の儒教の世界観は根本的に相容れない。

なぜなら朱子学によって再編された儒教は絶対的な善悪二元論の世界なのである。理（ことわり）が絶対的な善であり、気（肉体や欲望）は絶対的な悪。儒教や朱子学が目指すのは、欲望を滅ぼして理に戻るということだ。

日本人、神道の世界観には、絶対的な善も悪もない。あえて二極化すれば、日本人の基準は善悪というよりも、澄明（ちょうめい）と穢（けが）れではないかと私は考える。

提供：Mary Evans Picture Library/ アフロ

孔子

春秋時代の学者、思想家

（前 552 ～前 479）

魯の陬邑（山東省曲阜）の生まれ。大司寇として魯に仕えたが、辞して祖国を去り、多くの門人を連れて諸国をまわり遊説。周の封建制度下の社会を理想とし、諸侯に仁による政治を説いた。孔子と弟子たちの会話を記録したのが『論語』。孔子が『論語』のなかで盛んに語っているのは「愛」（仁者愛人）であり、「恕」（思いやりの心）であり、親の気持ちを大事にする意味での「孝」である。儒教は、孔子を始祖とするという解説が多いが、それは後の儒教が孔子の名声を利用したということであり、『論語』はそもそも儒教とは何の関係もなく、孔子は儒教の創始者ではないと言っていい。漢代に官学とされた儒学における経書「五経」の中の４つ、すなわち『詩経』『易経』『礼経』『春秋』は、孔子によって制作されたものか、あるいは編纂されたものであるとされていたが、学問的検証によって、信憑性がないことがわかっている。

言い換えるなら善悪ではなく美学の概念と捉えている。日本人の行動原理は、悪いことや汚い行いをしたくないという想い、そして潔さを善しとする。

さらに、日本人の行動原理に言及するなら、日本人は古より人間の欲望を否定しない。欲望を汚いものとは考えていない。古来、性に対して寛容でもあった。『源氏物語』が現代まで残り、読み継がれているのはまさにそれである。

日本人はそもそも『論語』の心を最初から持っている

古の日本人は、『論語』や中華の書物を読んで、中華というのはすばらしい聖人の国だと思って、それを一生懸命に学んだ。しかし、その半面、中華思想に対してどう対処するべきか悩んできた。

もちろん、中華に憧れる面や学ばなければならないという意識もある一方で、日本は日本ですばらしいのだから、中華からすべてを学ぶ必要はないとも考えてきたのだ。

江戸時代前期の儒学者であり軍学者の山鹿素行（やまがそこう）（1622－1685）からすれば、「日本人こそが中華だ」ということとなる。これはどういうことか。

中華思想や華夷秩序という概念により、歴代中華帝国は自らを世界の中央に位置する優れた国家であるとして「中華」を自称していた。

それに対して山鹿素行は、『中朝事実』という著作で、日本こそ文化的にも政治的にも「中華」と呼ばれる存在であると論じたのだ。

「万世一系の天皇陛下を中心に、仁政と平和が続く本朝こそ中華なり」（『中朝事実』）

山鹿素行が言うところの「中華」は当時の中華王朝のことではなく、〝理想の国〟の代名詞として使っているのであって、「日本こそが中国」という意味ではない。要は『論語』にある理想の国の姿こそ日本だということだ。

『中朝事実』が著されたのは1669年。その頃の中華王朝は清であるが、朱元璋（しゅげんしょう）が建国した漢民族王朝である明を異民族である満州族の王朝である清が滅ぼしたのは1644年である。

江戸幕府は初期から儒学を「官学」として取り入れていた。ゆえに中華を〝聖教（せいきょう）（儒教）の本場〟として、あるいは日本にとっての文化的宗主国として崇める風潮があった。

写真：三木光 / アフロ

山鹿素行

江戸前期の古学派の儒学者・兵学者
（1622 ～ 1685）
陸奥国会津の生まれ。６歳のときに江戸に出て林羅山に朱子学を、小幡景憲に甲州流兵学を学ぶ。31 歳のとき播州赤穂藩主浅野長直（ながなお）に仕えた。士道を研究し山鹿流兵学を完成させ『武教本論』『武教全書』を著した。儒者の意見を退け孔子の教えに立ち戻る古学の立場を明らかにし『聖教要録』を著した。当時の官学である朱子学を批判したため、幕府にとがめられ赤穂に幽閉を命じられる。この間に古学の立場から日本の皇統を詳述し日本の優位性を説く『中朝事実』を著した。赦免後は江戸に帰り、自宅を積徳堂と名づけ山鹿兵学および古学を教授した。貞享（じょうきょう）２年死去、享年 64。

江戸時代の多くのエリート階層の武士や知識人にとって、中華こそが〝聖人（孔子）の国〟であり、〝有徳の国〟であったのだ。

そんな目標であり、大国である中華が夷狄（満州族）に滅ぼされてしまったのだから、当時のエリートたちに衝撃的だったのは想像に難くない。

江戸時代に官学となった儒学は宋代に生まれた朱子学を基本にしていた。朱子学は論語本来の生きた思想を観念論に閉じ込めたもので、その「大義名分」たるイデオロギーによって、人間の「愛」や「恕」を滅するものになっていたのは第2章で述べた通りである。

そこで朱子学を見切って始祖の孔子（古学）に回帰すべきだと提唱したのが先述の山鹿素行である。

もともと素行は朱子学者として身を立てていたのだが、41歳頃に古学に転向。中国古代の聖人（孔子）の教えに依拠した自らの学問を「聖学」と称した。

『中朝事実』より前に、『聖教要録』を著し、そのなかで朱子学などの後世の注釈が加えられ変貌した儒学を捨てて、直接孔子の教え（古学）に学ぶべきという自説を説いたのである。

しかし、素行の主張は幕府大政参与の保科正之の逆鱗に触れ、素行は１６６６年に江戸から追放され、赤穂藩（あこう）へと配流となってしまう。

流刑のなかで、彼は孔子の教えにある理想の国こそ日本であるという思考に至ったのである。

つまり、素行は弄（いじ）られ尽くして原形を留めていない朱子学から孔子の教えに回帰することで、「孔子の教えが日本に伝わる前から、その徳治の概念はもとより日本に備わっていて、しかも古より実践している」ということに気づいたのだ。

天照大神（あまてらすおおみかみ）より歴代の天皇へと授受された日本の神道こそが〝真の聖教〟であり、王朝の興廃が頻繁に起きて政治の乱れや伝統の断絶が繰り返される中華帝国ではなく、日本こそが万世一系の皇室の下で脈々と、孔子が夢見た〝道義の国〟を実現してきた――ということである。

「遠い昔の神代より聖人の道を実践してきたのはむしろわが日本国だ。日本こそが中華と称するのに相応しい有徳の国である」というニュアンスで、中華礼賛の江戸時代のエリート層に、山鹿素行は『中朝事実』を著すことで強烈なメッセージを発したのである。

日本精神が余計な思惑をそぎ落とす

中華における大乗仏教は唐の武宗によって弾圧され、隆盛は終焉を迎えたが、その思想や知見は遣唐使によって日本へ運ばれ神道の世界観に触れることで花開いた。儒教も日本に持ち込まれることで形を変えたと言えるだろう。それは解釈を広げた仏教とは趣が異なる。

政治イデオロギーとして弄られ尽くして、孔子の教えとは別物になってしまった儒学・朱子学は、山鹿素行によって余計な思惑をそぎ落とされ、神道の世界観――日本の精神性との親和性の確認により、孔子本来の教えに戻ったのだ。そして、現代まで残されているのである。

山鹿素行は「日本人はそもそも論語の心を最初から持っている」という結論に辿り着いた。では、中華から導入した『論語』という書物の役割は何なのか?

素行によれば、『論語』は日本人に表現する言葉を教えたのだという。日本人は仁の心は誰でも最初から持っている。それをどういう言葉で表現するかを、仁という言葉が入ってくるまで誰も言挙(ことあ)げしなかっただけだということだ。

「今までその気持ちに呼び名をつけていなかったが、『論語』にはその気持ちのことを仁と書いてある、ああ、なるほど」――という感じだろうか。

中華は必要ない、それは精神汚染だ

孔子の理想の国は日本だった、そして中華文明は日本人が昔ながらに持つ心情に言語表現を付与したというのが山鹿素行の結論だ。中華思想にへりくだらない日本人の気骨を感じるのだが、江戸時代中後期の国学者、本居宣長（もとおりのりなが）（１７３０‐１８０１）によると、その表現付与すらも問題だとなる。

中華的表現を使うことで、日本人本来の精神が歪められているということだ。宣長は記紀や『万葉集』など日本の古典研究に力を注いだことで知られている。大抵の日本史の教科書に肖像入りで出ているのでお馴染みだろう。

宣長は中華的なものの考え方や中華文化に心酔、感化された思想を持つことを「漢意（からごころ）」と称して徹底的に批判した。漢意は、日本人が古から保ち続けてきた大和心（やまとごころ）に対する汚染であり、排除すべき対象だということだ。

宣長の目には日本人本来の大和心が中華によって精神汚染されていると見えたのだ。それは中華思想の伝播者である儒学者への批判というシンプルなものではない。宣長の随筆『玉勝間』には「漢意とは何か」が書かれている。次の引用がそれである。

> 漢意とは、漢國のふりを好み、かの國をたふとぶのみをいふにあらず、大かた世の人の、萬の事の善悪是非を論ひ、物の理をさだめいふたぐひ、すべてみな漢籍の趣なるをいふ也、さるはからぶみをよみたる人のみ、然るにはあらず、書といふ物一つも見たることなき者までも、同じこと也、そもからぶみをよまぬ人は、さる心にはあるまじきわざなれども、何わざも漢國をよしとして、かれをまねぶ世のならひ、千年にもあまりぬれば、おのづからその意世中にゆきわたりて、人の心の底にそみつきて、つねの地となれる故に、我はからごゝろもたらずと思ひ、これはから意にあらず、當然理也と思ふことも、なほ漢意をはなれがたきならひぞかし〈以下略〉（『玉勝間 上』岩波文庫）

写真：近現代 PL/ アフロ

本居宣長

江戸中期 - 後期の国学者、歌人
（1730 ～ 1801）
伊勢国松坂の生まれ。父は木綿商の小津定利。のちに先祖の姓である本居を名乗る。生家は江戸にも出店があるほどだったが廃業した。宣長は医学修業のため京都に遊学、28 歳で松坂に帰り内科・小児科医を開業。そのかたわら『源氏物語』などの古典の講義を行い、また自らも『古事記』や日本の古典の研究に勤しみ、35 年をかけて注釈書である『古事記伝』44 巻を完成する。『源氏物語玉の小櫛（おぐし）』『玉勝間』『秘本玉くしげ』『直毘霊（なおびのみたま）』『石上私淑言（いそのかみのささめごと）』など数多くの著作を残した。享和元年死去、享年 72。

つまり、漢意とは中華文化を好み、それを尊重することだけではない。あらゆることの善悪や是非を論じ、理屈でものを考えようとする儒学者的なものの考え方すべてであるというのだ。しかもそれは、中華の書や考え方に直接触れていない人にも及んでいる。なぜなら日本は古来、中華の文化・文明を取り入れてきており、さらに幕府は朱子学を官学として導入したのだから、知らないうちに日本人の思考に漢意が影響している——。

日本本来のものの考え方を取り戻すために宣長は外来文化の影響を受ける前の日本人の心、すなわち大和心を知るためにその半生をかけて、『古事記』を研究し、その注釈書である『古事記伝』全44巻を執筆した。

漢意を日本の精神文化から排除すること、宣長はこれを「清く洗い去て」と表現している。では大和心とは何なのか。

それについてのわかりやすい、つまり理路整然とした解答は用意されていない。宣長からすれば言葉と理屈を用いて物事をあれこれ説明すること自体が、中華の流儀であり、漢意なのであろう。

『古事記伝』のなかにそのヒントとなる記述がある。

> されどこの陰陽の理といふことは、いと昔より、世ノ人の心の底に深く染着(しみつき)たることにて、誰も〳〵、天地の自然(おのづから)の理にして、あらゆる物も事も、此ノ理をはなる、ことなしとぞ思ふめる、そはなほ漢籍説(からぶみごと)に惑(まど)へる心なり、漢籍心(からぶみごころ)を清く洗(あら)ひ去(さり)て、よく思へば、天地はたゞ天地、男女(めを)はたゞ男女、水火(ひみづ)はたゞ水火にて、おの〳〵その性質情状はあれども、そはみな神の御所為(みしわざ)にして、然るゆゑのことわりは、いとも〳〵奇霊(くすし)く微妙(たへ)なる物にしあれば、さらに人のよく測知(はかりしる)べききはにあらず。
>
> （『古事記傳㈠』岩波文庫）

物事を善悪や是非で論じ、何事も理屈で解明しようとし、自己正当化に勤しみ不都合は誤魔化す――そんな思考が漢意である。それを取り去ったとき残るものは何か？それはそこにあるものをそのまま受け止め、ありのままを受け入れる素直な心であり、直感的に感性で受け止める姿勢であろう。

宣長は自身の「本居宣長六十一歳自画自賛像」の賛に一首の和歌を記している。これは「画像でお前の姿形はわかったが、では心について尋ねたい」という質問があったことを想定しているとのことだ。宣長自身の大和心に触れてこの章をしめたい。

敷嶋の　大和心を　人問わば
朝日ににほふ　山ざくら花

「新皇帝」習近平こそは世界の禍の元
――あとがきに代えて

この度、拙著『脅威と欺瞞の中国皇帝政治二千年史』が徳間書店から刊行された。これは実は、私の長年の中国観察と中国研究の集大成と言うべきものである。

目次に一度目を通していただけたらすぐわかるように、本書は内容的には一概に歴史的な視点から、中国の政治・宗教・文化・社会全般を考察の対象にしたものだ。「中国」に関する筆者独自の政治論・宗教論・文化論・社会論を多角的に展開しているので、いわば「石平の中国論」のすべてがこの一冊に凝縮されている、という感じである。

その中の「中国政治論」の中核的な内容として、本書は中国の「皇帝政治」にスポットを当て、この悪しき伝統の歴史と性格を考察した。こうしたうえで、実は21世紀になった今でも中国の「皇帝政治」の伝統は依然として健在であって、現在の最高指導者の習近平主席はそのまま事実上の「皇帝様」となっている、と指摘した。

私のこの論に、大半の読者は納得してくださったのではないかと勝手に思っているが、それでも読者の方々の多くはやはり、「そんなことは単なる中国という異世界の出来事であって日本人には関係のない話だ」と思われるのかもしれない。

もしそうであれば、ここで大事な一言を申し上げておきたい。中国の「新皇帝」習近平の行う皇帝政治は決して日本人にまったく無関係の話ではない。それはいずれ、日本を含めた周辺国の人々に大きな禍をもたらしてくるだろうと思っているのである。

それは一体どういうことか。実は本書の中でも論述したように、中国の「皇帝政治」の伝統的な考え方においては、中国の皇帝は単なる中国大陸の統治者ではなく、むしろ「天下」という名の世界全体の支配者であって、世界全体のあらゆる民族たちにとっての主人であるわけだ。そして世界の人々にとって、中国皇帝の支配下に入ることはまさに皇帝様の恩恵に与(あずか)ることであってこの上なく幸せなことなのである。

だから昔ながらの皇帝政治の思想からすれば、日本人も含めた周辺民族ないし世界中の人々は全員はいずれ中国皇帝の支配下に入る運命である。しかしもし、どこかの周辺民族がこのような「幸運」を拒否し皇帝様に楯突くような「愚挙」を犯すのであれば、中国皇帝は武力を使って彼らを征服しなければならない。そしてこの征服はあくまでも愚昧(ぐまい)の周辺民族に文明の光をもたらすための善挙であって、皇帝様の慈悲なる心の表れなのである。

ここまできたら、日本の読者の皆様は呆れて言葉も失うのであろうが、実はそれは決して遠い昔の歴史上の話ではなく、近現代に入ってからの現実でもある。たとえば1950年代から、中国の「新皇帝」となった毛沢東という共産党独裁者の指揮下では、中国はまさに前述のような論理に従ってチベット人やウイグル人を征服したりした。そして今でも、チベット人とウイグル人は中国軍によって領土を占領されていて、共産党の圧政・暴政に喘いでいるのである。

そのときの「毛沢東皇帝」に取って代わって、今、中国の「新皇帝」として君臨しているのは習近平主席その人であることは前述の通りだが、実は習主席も本物の「皇帝」となっていくプロセスの中ではすでに、皇帝政治の伝統に従って世界人民の指導者あるいは支配者として振る舞おうとしているのである。

その例として、今から6年前の、中国外交にまつわる話を紹介しておこう。2017年1月17日、習氏は中国主席としてスイスで開催されたダボス会議（世界経済フォーラム年次総会）に参加して基調演説を行った。そして翌日の18日にはジュネーブの国連欧州本部でも演説した。

この2つの演説において、習主席は「開放型の世界経済」を唱えてトランプ政権の保護主義を暗に牽制したことで一定の注目を集めたが、「開放型の世界経済」をいかにして構築するかについて、主席からの具体的な提案や措置の発表もなく、会議参加者と各国からの反応はいまひとつであった。

しかし中国共産党の宣伝機関の手にかかると、習主席の2つの演説はあたかも、この地球上の人々に光と喜びを与える「福音」となったかのように粉飾された。

2018年1月25日、人民日報はその1面トップで、習主席の2つの演説が発表されてから1周年を記念して、「思想の光で世界の進路を導こう」と題する長文の論説を掲載した。翌日の26日、人民日報は再び1面トップで習主席の演説を絶賛する論評を掲載したが、今度のタイトルは「人類の進歩と変革を導く力」であった。

つまり人民日報からすれば、習主席の2つの演説はいつの間にか、「人類」と「世界」を導く「光」と「力」となっているらしいが、タイトルを見ただけでも、自国の主席に対する人民日報の自画自賛は既に厚顔無恥の境地に達していることがよくわかる。

人民日報論評の中身となると、それはまた、読む人の失笑を誘うほど自家賛美のオンパレードであった。

曰く、「2つの基調講演は世界人民の心の声を代弁し、世界全体に大きな影響を与えた。〝世界がどうなるのか〟、〝われわれはどうすべきなのか〟の迷いが広がっているなかで、中国の理念の光は人類発展の方向性を示した」

曰く、「2つの歴史的演説は、哲学の高いレベルから人類の運命を説き明かした。それは大海原の灯台のように船舶の進路を導き、時間と空間をこえた思想的魅力を放った」

この行を原文で読んだとき、筆者の私は流石に虫唾が走るような思いをしたが、29日に配信した新華社通信記事の「習近平賛美」はそれ以上に気持ちの悪いものであった。

曰く、「人類の進路を示した習主席の2つの講演は、智慧(ちえ)の声を大地に広げ、真理の光をもって暗闇を照らした」。つまり新華社通信の表現に従えば、習主席が例の2つの演説を行う前に、われわれ人類一同は「暗闇」の中にいたというのだ。

自画自賛がここまできたら、普通の神経を持つわれわれはもはや啞然とするしかない。だが人民日報と新華社通信はどうやら本気になって、習主席のことを人類の救世主に祭り上げようとしている。そして習主席自身もそれを黙認しているはずだ。

しかし、それが単なる妄想だと笑ってすませられるものではない。「習主席が人類全体の方向性を示さなければならない」という、この一見荒唐無稽な妄想の背後には、まさに前述の「中華帝国の皇帝が天下の主＝世界の支配者である」という皇帝政治の伝統と、21世紀における中国の世界制覇という中国共産党と習主席自身の大いなる野望が見え隠れしているからだ。

それからの6年間、習主席は国内では独裁者としての権力基盤を固めながら周辺地域に対しては覇権主義的な拡張戦略を推し進めてきている。２０２２年10月に開かれた共産党大会では、彼は自らの独裁体制の完全確立に成功し、「新皇帝」の地位を不動のものにした。そしてその直後から、中国の「新皇帝」は早速、国際社会を相手に文字通りの「皇帝外交」を展開した。

この年の11月14日から17日までの4日間、習主席は2つの国際会議、G20（インドネシア）とＡＰＥＣ会議（タイ）に出席する機会を利用し、アメリカ・フランス・オランダ・インドネシア・シンガポール・日本などの14カ国の元首・首脳と相次いで個別会談をした。平均して1日3回以上という、まさに超密度の首脳会談をこなしたのである。そのなかでも一番のラッシュとなったのは15日、習主席は公式会議参加以外に8カ国の首脳との個別会談を行った。

しかし米国バイデン大統領との会談以外は、各首脳との会談時間は短く、日本の岸田首相との会談は冒頭の挨拶を含めて45分、豪州首相との会談はわずか30分で終わった。逐次通訳の時間を計算に入れると、実際の会談時間はおよそその半分の15分程度である。

このような短い会談においては、両国の首脳は事前に官僚たちから用意された紋切り型の話の内容をしゃべりきるので精一杯。お互いの言いたいことを言ったところで会談が終わる。首脳同士による踏み込んだ意見交換や合意達成は最初から望めない。

つまり習主席にとって、アメリカ大統領との会談以外、他の首脳たちとの会談は単なる儀式的なものであって、中身よりも会談を行ったという形のほうが重要だったのであろう。無理して過密なスケジュールの首脳会談を遂行したのは結局、習主席側による一種の演出であったにすぎない。

それは一体何のための演出だったのか。習主席の行う首脳会談に対する中国共産党御用メディアの報道ぶりを見れば、その意図するところはよくわかってくる。

習主席が毎日各国の首脳たちと会談を行うと、当日の中国中央テレビ局のニュース番組は必ず長い時間をかけて、習主席が各国の元首・首脳と会談する様子をひとつひとつ詳しく報じる。そこで紹介される内容はほぼ同じ。要するに習主席は各国首脳に向かって「両国関係はこうするべきだ」「国際社会の方向性はこうあるべきだ」と説教しているわけである。

翌日の人民日報も1面から2面、3面にかけて習主席が各国首脳と会談したニュースを1つずつ写真付きで記事にするが、それらの記事も一概に、習主席が相手の国の首脳に対して

「こうすべきだ」「ああすべきではない」との口調で話す内容となっている。あたかも習主席が各国首脳に対して「訓示」しているような印象操作が行われるのである。

こうして見ると、習主席の行った一連の首脳会談はもはや「外交」と称すべきものではない。それは単に、前述の党大会で個人的独裁体制を確立し、事実上の「皇帝」となった習近平氏が、中国の皇帝政治の伝統に則って行った、皇帝の権威確認の儀式にすぎないのである。

歴史上、中華帝国の皇帝が即位して必ずやることのひとつは、周辺の国々の朝貢国の王様や使節を中国に呼び礼拝してもらうことだ。それは、中国の皇帝は単なる中国だけを支配する権力者ではなく、天下（すなわち世界全体）を支配する「天子」であることを国内外に示す重要な儀式だった。

例の党大会で事実上の皇帝になった習主席がその直後において、米国やフランスなど世界の主要国、そして日本・シンガポール・韓国などの周辺国の元首・首脳を相手に前述のような「訓示会談」を集中的に行い、それを国内向けに大々的に宣伝することの意味はまさにここにある。つまり習主席はこのような儀式的首脳会談を行うことによって、自分が事実上の「中国皇帝」になったことを、国内外に向かってアピールしたわけである。

実際、習主席が各国首脳と会談する際に、中国側は一貫して主席の宿泊するホテルに会談の場所を設営し、各国首脳にそこに出向いてもらって会談を行うようにしているのである。

たとえば11月16日に行われたフィリピン・シンガポール・日本の3カ国との会談は、場所はすべて習主席が宿泊するホテルに設定された。外国の首脳たちはそのことをあまり気にしないが、中国側はこのような形の会談にすごくこだわる。なぜかと言うと、外国の首脳たちが習近平の泊まるホテルに出向いて会談を行うのは、各国首脳が習近平皇帝に「拝謁」しに来たという形になるからである。

こうして見ると、首脳会談ひとつを行うにしても、中国側は極力、習主席の皇帝ぶりを突出させて国内外に向かってアピールしていることがよくわかるが、21世紀になった今、このような古色蒼然の「皇帝外交」が実際に行われていることはまさに天下の奇観。昔の香港映画に出てくるキョンシーが目の前に現れてくるような感じである。

習近平新皇帝がこの程度の「皇帝ごっこ」を演じてみせるだけで終わるのであればまだいいのだが、問題は、今の習皇帝は本気になって、自らの支配下に入ることを拒否している台湾などの周辺国に対する征服戦争を準備していることにある。たとえば台湾有事となれば、それはそのまま日本有事にもなるから、習近平「新皇帝」の暴走ひとつで、とんでもない災難がわれわれ周辺国に降ってくるのかもしれない。

そういう意味では、隣の巨大国における「皇帝政治」の復活と習近平「新皇帝」の登場は、われわれ周辺国の人々にとっては最大の関心を払わなければならない世紀の不幸な出来事であろう。習近平皇帝の動向からは目を離せない。

そういう意味では本書が、中国という巨大国家の異質性、そして中国の皇帝政治の危うさに対する皆様の認識を深めるための一助となれれば、著者としてはそれ以上に幸せなこともない。

最後には、本書の企画・編集に心血を注いでくれた徳間書店学芸編集部の浅川亨さんに心からの感謝を申し上げたい。そして、本書を手にとっていただいた読者の皆様にはただひたすら、頭を下げて御礼を申し上げたいところである。

令和5年3月

奈良市内西大寺周辺・独楽庵にて

石 平

【中国をより深掘りするための書籍目録】

本書で述べた内容について、さらに認識を深めていただくために、拙著のなかから関連書籍をピックアップさせていただいた。異世界・中国を正確に把握し、そして日本を再認識するうえでお役に立てば幸いである。

●儒教思想について深掘りする

『論語の「愛」に目覚めた日本人
儒教を「権力」の道具にした中国人』（PHP文庫）

●中国共産党について深掘りする

『中国共産党 暗黒の百年史』（飛鳥新社）

●中国人の行動原理について深掘りする

『中国人の善と悪はなぜ逆さまか 宗族と一族イズム』
（産経新聞出版）

●中国の政治体制について深掘りする

『なぜ中国は民主化したくてもできないのか
「皇帝政治」の本質を知れば現代中国の核心がわかる』
（KADOKAWA）

●中国人の嘘について深掘りする

『中国五千年の虚言史
なぜ中国人は嘘をつかずにいられないのか 〈新装版〉』（徳間書店）

●中華思想と日本精神について深掘りする

『なぜ日本だけが中国の呪縛から逃れられたのか
「脱中華」の日本思想史』（PHP新書）

●日本精神について深掘りする

『日本の心をつくった12人
わが子に教えたい武士道精神』（PHP新書）

●日本の価値について深掘りする

『石平の眼 日本の風景と美』（ワック）

●評論家・石平について深掘りする

『新装版・私はなぜ「中国」を捨てたのか』（ワック）

石 平（せき・へい）

評論家。1962年、中国四川省成都生まれ。北京大学哲学部卒業。四川大学哲学部講師を経て、1988年に来日。1995年、神戸大学大学院文化学研究科博士課程修了。民間研究機関に勤務ののち、評論活動へ。2007年、日本に帰化する。著書は『そして中国は戦争と動乱の時代に突入する』（ビジネス社）、『バカ殿を指導者にした国家の悲劇　断末魔の習近平政権』（ビジネス社）、『論語の「愛」に目覚めた日本人 儒教を「権力」の道具にした中国人』（PHP文庫）、『バブル崩壊前夜を迎えた中国の奈落』（ビジネス社）、『中国vs.世界　最終戦争論　そして、ポスト・コロナ世界の「復興」が始まる』（清談社Publico）、『中国共産党 暗黒の百年史』（飛鳥新社）、『石平の新解読・三国志　「愚者」と「智者」に学ぶ生き残りの法則』（PHP研究所）ほか多数。

YouTubeチャンネル
『石平の中国週刊ニュース解説』

BC221-2023
脅威と欺瞞の中国皇帝政治二千年史
日本人が知らない異世界「中国」の行動原理を見抜く

第1刷　2023年3月31日

著者／石 平

発行者　小宮英行
発行所　株式会社徳間書店
〒141-8202　東京都品川区上大崎3-1-1 目黒セントラルスクエア
電話　編集 03-5403-4344 ／販売 049-293-5521
振替　00140-0-44392

印刷・製本　大日本印刷株式会社

ISBN978-4-19-865629-4